LA OSCURIDAD
DENTRO DE TI

Colección Impulso:
Novela

LA OSCURIDAD DENTRO DE TI

Sandra Ferrate

© 2014, Sandra Ferrate
© 2014, Ediciones Oblicuas
info@edicionesoblicuas.com
www.edicionesoblicuas.com

Primera edición: junio de 2014

Diseño y maquetación: DONDESEA, servicios editoriales
Ilustración de portada: Violeta Begara
Imprime: ULZAMA

ISBN: 978-84-16118-31-1
Depósito legal: B-11575-2014

ISBN Ebook: 978-84-16118-32-2

EDITORES DEL DESASTRE, S.L.
c/ Lluís Companys nº 3, 3º 2ª.
08870 Sitges (Barcelona)

Impreso en España – *Printed in Spain*

Lo dedico a las personas más importantes de mi vida:
Mi madre, quien me hace sentir más orgullosa
de ser su hija cada día que pasa.
A Albert, alguien que siempre va a estar a mi lado
cuando lo necesite.
Y a mi padrino, José Domingo,
que ha sido como un ángel de la guarda
para mi madre y para mí en esos momentos más duros.

Índice

Prólogo

Elisa sabe que tiene que mantener la mirada fija en la interminable y estrecha carretera que tiene delante. Es una de esas personas que siempre quieren seguir las normas al pie de la letra, incluso ahora que está en medio de ninguna parte y no ha visto otro coche en kilómetros. No obstante, con las manos en el volante formando una V perfecta y los espejos en una posición inmejorable, no puede evitar echar más de una mirada a la adolescente que se encuentra en el asiento del copiloto.

Su hermana pequeña, Isabel, está con los pies encima del salpicadero y, por muchas veces que le haya pedido que se siente de forma correcta, su carácter dulce no puede competir con la etapa de rebeldía adolescente en la que ahora se encuentra ella. Una mueca de desagrado asoma debajo de todas esas mechas de color rojo que resaltan en su melena oscura escondiendo una parte de su hermoso rostro, donde todavía hay rastros de niñez. Desagrado por tener que dejar la ciudad para ir arrastrada a pasar unos días a una casa rural a las afueras de Madrid, sin poder mantener contacto con otra persona que no sea su hermana y sin medios para estar conectada con la civilización; y, por si eso fuera poco, el interminable viaje es totalmente asfixiante.

El camino no podría resultar más incómodo, con un silencio que Elisa no sabe cómo romper y con los rayos del sol atacando con fuerza, provocando un sofocante calor. El aire acondicionado estropeado de su Seat Ibiza de segunda mano no ayuda en absoluto. Ni siquiera se pueden abrir las ventanas porque el simple roce resulta desagradable.

No es precisamente el entorno ideal que necesita Elisa para restablecer los lazos con su hermana pequeña, unos lazos antes estrechamente unidos que, de un día para otro, se alteraron de mala manera. Cierra los ojos durante un efímero instante al volver esos recuerdos a su memoria; no puede más que inculparse por el error que cometió.

Tenía que haber estado a su lado, pero la dejó sola cuando más la necesitaba: durante el divorcio de sus padres y el proceso anterior que desembocó en la ruptura familiar; las peleas interminables, las frías miradas, los incómodos silencios… E Isabel se encontró sola en medio de todo aquello.

Tenía que haber estado allí para ella, para consolarla cuando tenía que hacerlo y demostrarle que, aunque esa situación fuera desagradable, Isabel no tenía nada que ver con la decisión final que sus padres decidieron tomar. También que, para ella, su hermana pequeña lo significa todo, pero no lo hizo, por el simple hecho de que estaba demasiado ocupada con su nueva vida. Una vida demasiado tentadora para darle la espalda, con una nueva independencia que dio la oportunidad a Elisa de volver a empezar en su primer año de Universidad. Allí se sintió integrada por primera vez en su vida, ya no era la empollona de la clase que todo el mundo ignoraba; en la facultad la aceptan tal como es, y en la residencia ha encontrado chicas que, al fin, puede considerar amigas de verdad. Ahora se siente culpable por dejar que esa otra etapa de su vida eclipsara su mundo y no le dejara ver nada más, dejando a una niña atrás, sola e indefensa, frente a la decepción de la separación de sus padres y con el dolor latente de su corazón roto, ya que el primer acercamiento que ha tenido hacia un chico a acabado de mala manera, según le explicó su madre. Hubo una época en que se contaban el más mínimo detalle de sus vidas, sin embargo ahora descubría que Isabel tuvo a alguien muy especial en su vida y ella ni siquiera se había enterado. Le destroza por dentro haberla fallado de esta manera, por ese motivo tomó la decisión de dar el primer paso para cambiar las cosas, aunque eso haya significado obligarla a tomar unas vacaciones que no ha pedido pero, al alejarla de todo, de sus padres y de ese chico, puede al fin obtener algo más de serenidad en esta delicada transición que está atravesando.

Aunque está decidida a que las cosas cambien, Elisa todavía no sabe qué decir, y lo único que hace es volver a mirar a Isabel por el rabillo del ojo. Su hermana está mirando por la ventana, lo único que tiene para distraerse un poco, y solo hay árboles, grandes árboles con las hojas más verdes que en cualquier estación del año, y los rayos del sol que se cuelan entre ellas, lo que le hace entornar ligeramente los ojos.

«¡Qué aburrimiento!», piensa Isabel con pesadez. Podría poner algo de música, pero eso implicaría algún tipo de desacuerdo con Elisa, ya sea porque no le gustase la emisora que pondría o por cualquier otra tontería, y no quiere tener ningún contacto con ella, todavía se siente demasiado dolida y quiere dejar constancia de ello en su silencio y en alguna que otra palabra seca y desganada.

Elisa prueba de entablar alguna que otra conversación sin éxito, así que suelta un largo y cansado suspiro mientras la mano derecha se despega momentáneamente del volante para poner un mechón rebelde y azabache detrás de su oreja. Sabe que el camino para volver a ganarse la confianza y el corazón de su hermana será largo y nada fácil, pero no va a darse por vencida. Isabel es la persona más importante en su vida y tarde o temprano le demostrará ese hecho y volverán a estar tan unidas como siempre. Está segura de ello porque no va a dejar de intentarlo hasta conseguir su objetivo.

Y contra todo pronóstico, vuelve a mirar a la carretera, ahora con una sonrisa iluminando su cara, esperando un resultado que nunca llegará porque las dos hermanas se encuentran totalmente ajenas al terrible destino que las aguarda.

La tranquila estancia pronto se convertirá en la peor pesadilla que ninguna de las dos hubiera podido imaginar jamás.

Y solo una de ellas saldrá con vida.

Capítulo 1. Empieza la caza

—¡Eres un completo inútil! —Carlos Martín, socio fundador de un importante bufete de abogados de Madrid, levanta con pesadez su cuerpo de más de sesenta años para encarar al peor empleado que ha tenido nunca: su hijo.

Pasa sus arrugadas manos por su pelo de abundantes canas perfectamente peinadas, preocupado por que su malestar haya podido sacar un pelo de sitio mientras Roberto se queda quieto, mirando fijamente el suelo enmoquetado, y con temor a recibir más insultos.

—Eres patético. —Vuelve a cargar su frustración contra él—. ¡Fuera de mi vista!

Roberto entra de mala manera al primer bar que ha encontrado en este barrio de baja categoría para él. El fuerte ruido de la puerta atrapa a más de una mirada curiosa, al darse cuenta de ello rápidamente cambia su expresión de enfado y actúa con más tranquilidad. No conviene llamar la atención de esta manera. Peina con los dedos su desordenado pelo castaño para ponerlo correctamente y estar más acorde con su elegante traje de marca y ese reloj de plata que no se molesta en esconder; al contrario, le gusta exhibirlo para demostrar su posición.

Mientras camina hacia el primer taburete con la madera desgastada que ha visto, gira la cabeza ligeramente de izquierda a derecha varias veces para tener una visión general de lo que realmente está buscando.

«En efecto», piensa con una sonrisa. «No me he equivocado», se dice para sí mismo, dejando que su enfado se vaya poco a poco para dejar sitio a los satisfactorios acontecimientos que vendrán a continuación.

Solo al entrar ya le ha inundado ese olor tan particular de los sitios como éste, a perfume barato y a desesperación. Al sentarse, deja la pierna derecha sin apoyo y sus brazos tocan la barra de madera clara, que son del mismo estilo que los taburetes y las otras mesas, además de adornadas con pequeñas ronchas oscuras de cigarrillos por todas partes.

Este lugar le da náuseas. Tampoco le inspira mucha confianza el camarero detrás de la barra limpiando los vasos con un trapo no muy limpio. Sin embargo, tiene que aguantar, ya que es el lugar perfecto para llevar a cabo sus planes.

Con un gesto de su cabeza, ese camarero con cara de malas pulgas y barriga cervecera se le acerca para ver qué va a tomar, y al cabo de unos instantes tiene un vaso de whisky con hielo delante de él.

Mientras el frío licor baja por su garganta, dando la falsa sensación de calidez, los acontecimientos de hoy vuelven a alterarle de mala manera. Ha vuelto a perder otro caso, y eso que su padre se lo ha concedido porque era fácil de ganar, para que aportara algo más que su vagancia a la empresa, según sus palabras. Cuando se ha enterado, no ha parado de repetirle lo inútil que es y que no sería nadie si no fuera por él y sus poderosas influencias.

Su decepción era palpable en el rostro; utiliza la misma expresión cuando tiene que recoger los cristales rotos de sus juegos nocturnos.

«¡Maldito viejo!». Impide en el último segundo que su puño dé contra la barra. No puede evitar estar colérico por ese maldito bastardo que tiene como padre, del que siempre ha obtenido rechazo desde que puede recordar y que ahora se sorprende por los actos que ha tenido que realizar para sustituir ese desprecio en algo más beneficioso para él mismo. Pero ahora no es momento para rememorar el pasado, sino el de pasar a la acción, el de realizar otra de sus jugadas nocturnas. Sabe que tiene que controlar su estado, y para eso, coge pequeñas bocanadas de aire de forma pausada y deliberada para luego expulsarla de la misma manera varias veces con los ojos algo más cerrados, para conseguir tranquilizarse y mantener la cabeza despejada por lo que ha estado esperando todo el pesado y jodido día. Ha llegado el momento; empieza la caza.

Se baja del taburete para apoyarse contra la barra, aguantando el peso de su cuerpo con la pierna derecha para poder así examinar mejor a las apetecibles y tentadoras presas que hay esta noche. Sin embargo, lo que busca Roberto no es simplemente una noche de pasión con una desconocida: sus intenciones en realidad son mucho más perversas. Lo que a él le gusta, mejor dicho, lo que necesita para acabar con todas esas voces que resuenan en su cabeza, que dicen que solo es un patético fracasado, consiste en provocar dolor y sufrimiento para sentirse poderoso. Necesita sentir el poder, ese poder que siempre le ha sido negado por una u otra vía, para sentir que la situación solo depende de él.

Y no puede negarlo, le excita sobremanera oír sus gritos de suplica y miedo, ver cómo sus hermosos rostros se desencajan por el dolor mientras invade a la fuerza su feminidad, pero,

17

sobre todo, cuando en sus preciosos ojos llenos de lágrimas se dan cuenta de que él tiene el poder sobre sus vidas, que tiene la autoridad de decidir si las deja con vida o no.

Con este pensamiento en mente deja escapar una sonrisa en su frío y macabro rostro, y no solo por eso. Cada paso es satisfactorio. Cada presa, una delicia.

Acechando entre la mala iluminación de este lugar, como un animal salvaje, posa su mirada sobre las posibles presas, sobre esas mujeres que están en una mesa solas, esperando impacientes a un hombre que se acerque. «Su desesperación es evidente y patética», piensa Roberto con una desagradable mueca en su feo rostro, que siempre ha visto a las mujeres como un objeto para conseguir su satisfacción. No son nada más para él.

Roberto no es un hombre atractivo, cada día que pasa su pelo va disminuyendo y su barriga va aumentando. La única arma que puede utilizar para que una mujer le pueda encontrar algún atractivo es demostrar que tiene dinero, cosa que hace con su espectacular deportivo plateado aparcado justo a la entrada para que sea el centro de las miradas, el bolígrafo de oro perfectamente puesto en el bolsillo de su blanca camisa y el reloj de plata exageradamente evidente en su muñeca izquierda.

Un coche caro y trajes finos llaman la atención más de lo que Roberto puede llegar a pensar. No obstante, es tan estúpido que no puede llegar a ciertas conclusiones por sus propios medios. Qué se puede esperar de un niño rico y mimado en exceso en su infancia, criado en manos ajenas a la familia, nunca al cuidado de sus propios padres, y que de mayor ha obtenido una carrera gracias a que su padre se encargó de pagar a las personas adecuadas para que aprobara las asignaturas y que consiguió ser contratado por una empresa seria y de prestigio bajo su protección.

En realidad, Roberto no es nadie, y por eso dedica su tiempo a sus juegos sádicos nocturnos: para sentirse alguien. Si consiguen relacionarlo con las víctimas que ha dejado atrás, no le importa, porque para él nunca hay consecuencias.

La noche se ha convertido en su sala de juegos particular donde poder hacer lo que quiera, porque si a la mañana siguiente alguien lo reconoce o si se encuentra más de un dedo señalándolo, el dinero y la posición de su padre se encargarán de sobornar y pagar a los testigos adecuados para que todo quede en nada. El poder del dinero no tiene contrincante. Al menos eso piensa por ahora.

Las diversas opciones de esta noche no acaban de encajar en los gustos de Roberto. La mejor opción se encuentra al otro extremo de la barra: una mujer esbelta con un vestido azul que le roza las rodillas y que toma un vaso de vino blanco. Cuando deja el vaso sobre la mesa, puede apreciar un sutil dibujo de sus labios rojos en el borde.

El cuerpo es apetecible, aunque su rostro no le inspira ningún deseo. Se nota que es una mujer algo madura, aunque ha intentado disimularlo con grandes dosis de maquillaje, cosa que le concede un resultado algo desagradable. La mirada de ella se posa encima de Roberto. Al mirar su atuendo, cambia su expresión seria a una sonrisa coqueta.

Pero Roberto quiere otra cosa; esta noche le apetece alguien joven, tener en sus manos a una dulce perita en cuyo joven rostro descubrir el dolor y el sufrimiento por primera vez. Solo de pensarlo su excitación se incrementa y, aunque la única opción que tiene es esa mujer, pues irá a por ella, su deseo de tener el poder sobre alguien es demasiado fuerte para poder ignorarlo.

«Pobre idiota, no sabe lo que le espera», ríe en sus adentros mientras pensamientos atroces cruzan su mente; si no puede despertar su deseo físicamente, encontrará otras opciones para poder tener una noche satisfactoria.

Cambia el peso de su cuerpo a la otra pierna mientras se bebe de un sorbo el poco whisky que le queda y, antes de ir a por la presa de esta noche, su cuerpo se queda totalmente paralizado ante la increíble visión que está teniendo delante de él.

Sus ojos se precipitan hacia esa hermosa joven, poniendo especial atención en el vestido rojo escotado que abraza todas y cada una de sus magníficas curvas bajo unas piernas que no parecen tener fin; se fija en sus labios rojos y jugosos, en su piel blanca inmaculada y en su melena rubia que cae como una cascada sobre su esbelta espalda.

Los ojos azules y penetrantes de la hermosa desconocida se posan sobre la mirada todavía estupefacta de Roberto, y éste piensa que, en un solo momento, la noche se ha vuelto mucho más interesante.

Cuarenta y cinco minutos después, Roberto conduce su caro y orgulloso deportivo en medio de la noche hacia las afueras de la ruidosa y grande ciudad de Madrid para tener un poco de intimidad, donde solo la luz de la luna llena rompe ligeramente la oscuridad de la noche. Ni siquiera se acuerda de la última vez que estuvo tan motivado para llevar a cabo todo lo que la excitación le suele provocar una de sus víctimas. Aun con todo su dinero, en pocas ocasiones había podido disfrutar de una presa tan deliciosa como la que ahora mismo está descansado en el asiento de al lado.

Lástima que la pobre chica, después de unos pocos sorbos de la bebida que él mismo le ha ofrecido, se sienta algo mareada y un poco cansada y él, como todo buen caballero, se ha ofrecido a llevarla a casa. La chica cayó en un profundo sueño en el mismo instante de rozar con su cuerpo el asiento de piel.

Roberto no puede evitar dejar de mirar ese hermoso cuerpo; la luz de la luna que penetra por la ventana hace que brille como su tuviera luz propia. No aguanta más las ganas de llegar y que ese cuerpo le pertenezca.

Roberto se concede un pequeño anticipo, mirando embobado cómo el corto vestido se le ha subido más todavía, dejando ver la suave y brillante piel de unos muslos demasiado tentadores para no tocarlos. Así que alarga el brazo derecho tocando solo con las yemas de sus dedos esa piel para comprobar si es tan suave como parece. Se muerde el labio inferior para controlarse un poco, repitiéndose que tiene todo el tiempo que quiera para jugar con ella. No hace falta precipitarse.

Roberto gira a la izquierda y estaciona el coche en una pequeña casa de madera donde solo se ve una puerta y una ventana maltrechas. Tiene aspecto de una casa abandonada, podría estar habitada por cualquier vagabundo, pero por suerte, Roberto se encarga de que siempre esté vacía.

Cierra la puerta de su coche con cuidado y, acto seguido, su excitación está tan elevada que parece no tener control sobre sí mismo al coger en brazos a esa bella desconocida, al tener contacto con su piel caliente a través del fino vestido y sentir sus pechos turgentes y llenos contra su torso, al tocar la piel desnuda de sus piernas. Tiene el impulso de dejar el cuerpo en el suelo y tomarla allí mismo sin más. Y está a punto de hacerlo, pero el poco control que tiene le hace calmarse y se da cuenta de que serían solo unos instantes de placer y luego se arrepentiría por el simple hecho de que la hermosa desconocida no está despierta. Roberto quiere ver los estragos que pasará su hermoso rostro cuando se dé cuenta de la situación en que se encuentra.

La espera es intensa, pero el final será glorioso. Quiere que esté despierta cuando lleve a la práctica cada pensamiento oscuro que se le ha pasado por la cabeza para esta noche.

Entra con una patada en la destrozada casa, que parece que en cualquier momento se va a venir abajo, y dejar el cuerpo encima de la cama que puso ahí hace ya algunos años, cuando descubrió el satisfactorio gusto por el poder sobre la vida humana.

El cuerpo de la chica rebota un par de veces, se puede oír el sonido de los muelles de esa antigua cama con sábanas de un color blanco inmaculado que desentona con la suciedad del entorno y con los hierros que sobresalen a cada extremo.

Antes de ocuparse de atar los brazos de su víctima a los extremos de la cama, deja la cuerda que ha sacado del maletero de su coche y la tira al suelo. No hay por qué apresurarse, todavía estará dormida un rato más, así que Roberto le da la espalda para dirigirse a la silla —el único mobiliario aparte de la cama que hay en este pequeño lugar— para quitarse lentamente la ropa y dejarla bien plegada; lo último que quiere es dejar que su caro traje se arrugue.

Todavía no se cree la suerte que ha tenido esta noche, piensa al mismo tiempo que se dedica a desabrocharse la camisa y liberar su velluda barriga cervecera. Estas niñas de hoy en día están tan deseosas de entrar en el mundo de los adultos que fácilmente se dejan deslumbrar, no es la primera joven que ha embaucado, ni tampoco será la última. Lo cierto es que nunca ha sentido tal deseo como esta noche.

Con este último pensamiento en mente y con una sonrisa en su rostro, de repente, ocurre algo que altera tanto sus planes que ni siquiera tiene tiempo de pensar en ello: nota una presión muy fuerte en el cuello, tan fuerte que no puede respirar, el aire tan necesario no tiene cabida para entrar. Siente por detrás la fuerza de una persona que se aprieta contra él, intentando ahogarlo con una cuerda. Instintivamente, coge la cuerda con sus manos para intentar sacársela de encima o, al menos, para aflojar la presión.

Forcejea. Se da contra las paredes mientras de su garganta salen sonidos de dolor y de falta de aire. El dolor va en aumento, pero sus fuerzas van disminuyendo; tendría la suficiente para seguir luchando si no fuera por un leve pinchazo que siente en el cuello para, a continuación, sentir como un extraño líquido entra en su cuerpo.

Al instante cae al suelo con todo su peso y todo se vuelve negro.

Poco a poco Roberto abre los ojos. No puede ver prácticamente nada, todo está borroso y la oscuridad de la noche no proporciona ninguna ayuda; tiene que parpadear un par de veces para ver con más claridad. La garganta le duele y le cuesta un poco respirar, acto seguido, intenta moverse pero no puede y siente un escalofrío que le recorre la espalda al comprobar la situación en la que se encuentra.

Ahora es él quien siente palpitar sus muñecas y tobillos anudados con una gruesa cuerda, la misma con la que él ata a sus víctimas y con la que antes le han atacado.

Intenta mirar por la habitación, pero apenas se ve nada. Solo el reflejo de la luna llena entra por la ventana al lado derecho de donde se encuentra. Se pone nervioso, muy nervioso, e intenta moverse con más fuerza esta vez, pero no obtiene ninguna clase de resultado y solo consigue cansarse los brazos. Nada más.

De repente siente unos débiles y pausados pasos al otro extremo de la habitación, se le corta la respiración, su corazón se agita y se encuentra a la espera de otro movimiento.

—¿Quién está ahí? —dice con una voz débil, temiendo la respuesta.

Al ver que nadie le contesta se pone más nervioso.

—¡Quién coño eres! ¡Déjate ver!

La persona escondida entre las sombras de la noche no se siente intimidada y, sin vacilación, da unos pasos adelante para pararse justo frente a la ventana, para que así pueda ver quién le ha hecho esto.

Roberto deja escapar una exclamación de sorpresa al ver que se trata de la joven e inocente víctima que tenía en la misma cama donde él se encuentra ahora.

—¿Tú? No puede ser, te he drogado, no deberías poder moverte todavía.

—Adivina. No me la he bebido, genio —dice curvando sus labios con una sonrisa—. Te he estado observando el tiempo necesario para saber cuáles son todas tus tretas.

—¡Maldita puta! Desátame ahora mismo si no quieres que...

—¿Qué? Por si no lo has notado, no estás en situación de exigir nada. —Su dulce voz se va a apagando, dando paso a otra llena de un sentimiento mucho peor.

Roberto no se ha fijado, pero desde que la misteriosa captora se ha mostrado, ha tenido todo el rato los brazos detrás de la espalda. Ahora los muestra y deja ver una gran arma blanca. Un cuchillo con sierra, frío y duro al tacto.

Esos hermosos ojos azules que le miraban de forma coqueta ahora se han vuelto fríos, y mientras lo observa detenidamente apoya la punta de ese cuchillo sobre el dedo índice, mueve suavemente la hoja de lado a lado para atrapar los rayos de la luna y así provocar un efecto más aterrador.

La punta del cuchillo traspasa su suave piel y, en vez de apartarse, sigue mirando a Roberto fijamente; el captor capturado ahora siente verdadero miedo.

—Escucha —dice Roberto con la voz entrecortada—. Escucha… —vuelve a repetir nervioso—. Puedo ofrecerte todo lo que quieras. Tengo dinero. Mucho dinero…

La luz que entra por la ventana solo refleja la mitad de su rostro, uno completamente diferente del que en principio le paralizó por su hermosura, dejando a la otra mitad completamente dentro de la oscuridad de la noche. La captora separa el dedo índice de la punta del cuchillo y se lo pone en la boca, sintiendo el gusto salado de su sangre, sigue quieta, solo se mantiene ahí, sin hacer nada más que mirarle.

—¿Qué quieres de mí? —pregunta Roberto con un hilo de voz.

Después de un interminable silencio, su captora decide acercarse con lentitud, siempre mostrando bien el arma que tiene entre las manos. Al acercarse más a la ventana, se puede ver por completo su rostro blandiendo una sonrisa de satisfacción.

Si quiere saber los planes que tiene pensado para él, con mucho gusto va a informarle. Se acerca a ese cuerpo tembloroso y asustado para decir con una voz fría y oscura:

—Que sufras.

Capítulo 2. La hermana que sobrevivió

Estaba rota, por dentro y por fuera.

Resulta más fácil de lo que pensó en un principio. Su meta era llegar hasta aquí, tenía miedo de no ser lo bastante fuerte para hacerlo, y ahora que se encuentra en la línea final, en su cuerpo no existe ninguna señal de miedo ni tampoco de querer echarse atrás. En lugar de eso, una desconocida satisfacción la recorre por dentro. Pensamientos perturbadores, sin duda, pero en este momento no puede permitirse el lujo de detenerse para pensar en ello. Tiene trabajo que hacer.

Roberto ha mostrado una expresión de auténtico terror al escuchar la última frase de su captora, se está desmoronando y, al final, se pone a llorar suplicando que no le haga daño. La chica únicamente pone los ojos en blanco al escuchar el molesto ruido de su lloriqueo: no sabía que era un hombre tan patético.

—¡Por favor, no me hagas daño! —suplica con la voz entrecortada.

La chica se mueve otra vez hacia él, cosa que incrementa su llanto, y al final termina sentada encima de su torso con brusquedad y con las pantorrillas apoyadas en las sábanas blancas.

Roberto ve una transformación en esa cara angelical que le atrapó en el bar. Sin embargo, no era el cambio que en un principio esperaba ver. Ahora esa chica muestra una cara llena de dolor y de rabia. Una rabia que amenaza en explotar de un momento a otro.

Su captora decide repasar con la fina punta del cuchillo todo su cuerpo sin hacerle daño, sin aplicar ningún tipo de presión. Solo con eso ya consigue que los músculos de Roberto se tensen y su respiración se corte de forma abrupta a la temible espera de un ataque que aún no ha llegado.

—¿Por qué me haces esto? —dice con una voz apagada.

La chica suelta una fría sonrisa que llena el tenso lugar.

—¿Con todo el daño que has infringido todavía lo preguntas?

Los llantos de Roberto vuelven con más fuerza, suplicando por su vida y apelando a la humanidad de su captora.

—¡Lo siento, lo siento mucho! Si me dejas ir juro por mi vida que nunca más haré daño a nadie.

—No sé si creerte —dice con voz rota, colocando la hoja del cuchillo en el lado derecho del abdomen; después de una temible espera, termina para hundirlo de forma violenta en su piel, entrando a la fuerza en su carne como si no fuera más que tierna mantequilla.

El grito de dolor que escapa de Roberto es música para sus oídos, así como la violenta sacudida de su cuerpo, ahora tembloroso por la fría hoja en contacto con la calidez de su interior. Lo hunde más, hasta que, cuando la mitad de la hoja del cuchillo se encuentra dentro, decide detenerse y retorcerlo un buen rato en varios círculos. La sangre que emana de su cuerpo es torrencial y las blancas e inmaculadas sábanas terminan teñidas por el espeso rojo que escapa de su propia carne.

Roberto no puede más que sentirse impotente, ya que sus lamentos desaparecen en la oscura y solitaria noche sin remedio.

—¡Por favor, para! ¡Por favor!

Para sorpresa de Roberto, sus ruegos han sido escuchados y su captora le saca el cuchillo. Él respira un momento por el alivio de no sentir ese frío y duro cuchillo dentro; no obstante, el dolor de la herida llega en forma de tormento en un golpe sordo.

En esta pequeña casa en medio de ninguna parte, solo se oye la respiración agitada de Roberto en medio de una calma que pronto va terminar por estallar. Finalmente, decide romper ese nuevo silencio que se ha formado apelando otra vez con sus eternas súplicas tan propias de él.

—¡Te lo suplico! ¡No me hagas más daño! —grita con desesperación.

Su captora se le queda mirando con frialdad, pensativa, con esta última frase todavía en el aire. No puede evitar que su sangre se altere cuando recuerda cómo su hermana les rogó que pararan mientras esos malditos desgraciados se turnaban para violarla, a la vez que se reían de sus súplicas. Tiene el impulso de clavarle el cuchillo en el corazón para terminar la vida de este animal.

No obstante, no lo hace. Su mente tiene que mantenerse fría ante sus alteradas emociones. Recuerda el motivo que la ha traído está aquí. Su propósito es acabar con la vida de ese monstruo que tiene delante, pero antes tiene pensado un largo camino lleno de dolor. Quiere que sienta que tanto dolor va a romperle. Un infierno en vida, esas horribles experiencias que tanto él como sus amigos le obligaron a experimentar a ella y a su querida hermana.

—Eso exactamente es lo que suplicó mi hermana, pero ni tú ni tus amigos le hicisteis ningún caso —explica la chica con un susurro lleno de amargura pero lo bastante alto para que Roberto pueda escucharla, la prueba es que el lugar vuelve a estar inundado en un tenso silencio. Acerca la cabeza a su oreja. La primera reacción de Roberto es alejarse, aunque sin mucho éxito.

Ella le susurra de forma lenta y pausada el nombre de Elisa. Roberto abre mucho los ojos sorprendido, recordando con exactitud a quién se refiere. Sus ojos se han acostumbrado a la oscuridad y con la proximidad del rostro de su captora puede mirar debajo del maquillaje los suaves rasgos de su cara, entonces una luz en su mente se enciende desterrando viejo recuerdos. La reconoce, ahora sabe quién es y recuerda perfectamente cómo se encargó de acabar con esa maldita mocosa que no paraba de gritar, pero no es posible, recuerda cómo con un cuchillo igual al que tiene esa chica en sus manos, la apuñaló sin ninguna clase de compasión. Para que dejará de incordiar de una vez.

—¡No puede ser verdad! Matamos a esas dos. No puedes estar viva. ¡Fui yo quien te maté!

Isabel le mira sin decir ni una palabra. Al cabo de un rato, deja el cuchillo en la mancha espesa de sangre de la sábana y pasa sus manos por los estrechos y finos tirantes de su vestido para bajarlo hasta la cintura, dejando ver su sostén de color carne y mostrando tres cicatrices de considerable tamaño repartidas por su abdomen, formando un dibujo desgarrador.

—Y lo intentaste. Ya lo creo que lo intentaste… —Con sus dedos repasa cada una de las cicatrices—. Pero sobreviví. Algo que tú no podrás decir.

—¡No, por favor! No fue idea mía. Yo no quería…

Roberto intenta desesperadamente encontrar un camino para salir de esto, es insoportable, siente el pulso de su sien a punto de estallar por el dolor.

—Escucha —dice con la voz más calmada—. No quieres hacer esto, eres una buena persona.

Isabel le mira con una mueca de asco perdida en la oscuridad.

—Lo era, era una buena persona.

Durante el transcurso de esa noche, solo se oyeron los gritos del horrible dolor que Isabel infringió a ese hombre que destrozó su vida y la de su hermana mayor.

Sus ruegos no sirvieron de nada y sus suplicas pasaron inadvertidas. Sintió una gran satisfacción en todo ese macabro proceso. No solo le quitó la vida; lo que sucedió antes fue mucho peor. Isabel quería ver que ese monstruo recibía su merecido. El final que tanto se merecía.

La luz penetrante del lavabo de esa sucia casa hace que tenga que apartar los ojos, acostumbrados a la oscuridad de la otra habitación. Lo ha hecho. Ha traspasado la línea al conseguir sacar las fuerzas de su interior para cometer un acto atroz en el que ha acabado con la vida de otro ser humano. Algo monstruoso, sin duda, y que nunca llegó a pensar que sería capaz de provocarle a nadie.

Cuando te obligan a conocer el horror, todo tu mundo se derrumba. La percepción de lo que está bien y lo que está mal se difumina, y el día a día se convierte en un manto rojo parecido al color de la sangre, lleno de rabia y de dolor. Hasta que una persona no es obligada a vivir el horror y la oscuridad, no puede llegar a imaginar cómo le va a cambiar la vida.

Lanza el cuchillo totalmente empapado en sangre en la blanca pica, donde el líquido rojo resalta todavía más. Isabel abre el grifo sintiendo ese frío contacto en sus manos llenas.

Hay un silencio aterrador, que a su mente le sirve para procesar todo lo que acaba de experimentar.

Nunca creyó que sería capaz de hacer algo así.

Ese momento de satisfacción ha ido dejando un sentimiento de preocupación en su interior. Ni siquiera siente el agua fría, tan solo queda asumida en sus propios pensamientos.

En el transcurso de lo que ha sucedido esta noche no ha sentido miedo y sí regocijo, demasiado para la tranquilidad de su espíritu. Llevaba mucho tiempo planeándolo, pero acabar con una vida humana es algo muy distinto.

En ese momento, un pensamiento fugaz penetra en su mente como si de un rayo se tratara. No siente pesar por haber matado a ese hombre, sino por la reacción que ha tenido al hacerlo, por si en ese camino de venganza para acabar con los monstruos que la dejaron rota se convierte ella misma en un monstruo.

Sus manos están limpias pero no presta atención, sigue sumida en sus pensamientos.

«¡No! ¡Basta!», grita para sus adentros.

En una fatídica noche, simplemente porque quisieron divertirse unos cuantos, hicieron que conociera el horror, que supiera adónde es capaz de llegar la naturaleza humana, lo horrible que puede ser una persona.

Esa noche, una parte de ella murió y otra más oscura emergió. Su mente la hace retroceder para escuchar los gritos de angustia, de dolor, de sufrimiento de su hermana mientras esos desgraciados se reían. Esas horribles risas la atormentan constantemente. Solo quiere acallar esas risas de una vez.

Elisa suplicaba que pararan, rogaba que hicieran lo que quisieran con ella, pero sin tocar a su hermana pequeña. No le importaba morir a cambio de la vida de Isabel.

En estos momentos su rostro muestra verdadero horror por la pesadilla sufrida. Todo vuelve a su mente y su sangre bulle sobremanera. No puede permitirse el lujo de parar, ahora no. No puede quedar sin consecuencias después de todo el horror que le provocaron a la dulce de Elisa. Por culpa de esos tres monstruos ya nunca más podrá notar la calidez de su abrazo ni escuchar esa delicada y cantarina voz que la reconfortaba cada vez que tenía un mal día. Su calidez se ha perdido para siempre, su imagen ahora es una espiral de un tormento sin descanso de los últimos momentos que tuvo que sufrir con tanta brutalidad y saña sin sentido.

«¡Son unos monstruos que tienen que desaparecer. Han de morir. Deben ser aniquilados!».

Con este último pensamiento intenta tranquilizarse, cierra los ojos y alza la mirada hacia el espejo viejo con manchas de suciedad en las esquinas que tiene delante de sus ojos. Se mira detenidamente para observar esa otra parte de sí misma que desconocía, esa faceta que ha tenido que salir para sobrevivir a los horrores del pasado, que antes era inexistente o simplemente permanecía oculta esperando algo para encender la mecha y salir a flote.

Una oscuridad la rodeó y no la dejó marchar.

«La oscuridad es peligrosa. Cuando te atrapa ya no puedes escapar».

En su interior no hay rastro de ningún sentimiento de culpa, ni un ápice de remordimiento, más bien todo lo contrario. Lo que brota dentro de ella es un sentimiento totalmente distinto, una sensación gratificante por eliminar a un monstruo y para derramar sangre en nombre de Elisa.

No le importa que llegue un momento en que no sienta nada. Si en este tortuoso camino lo único que consigue al final es convertirse en un monstruo como los que está acechando, entonces que así sea. Ningún precio es demasiado alto. Nada la detendrá.

Seguidamente sale del cuarto de baño para ver el asqueroso cuerpo sin vida que hay encima de la cama. Se ha desahogado extremadamente con él. Las paredes, incluso el techo, tienen marcas de su sangre. Pero no es algo que la preocupe; solo mira con satisfacción su obra, el rostro desencajado de dolor de su primera víctima y lo que ha escrito en medio del torso de Roberto, en diagonal y en forma ascendente: ha utilizado su cuchillo para poner el nombre de Elisa. Un recordatorio para él y una advertencia para los demás.

Recuerda los gritos de Roberto al rasgar su sensible piel, todavía con las terminaciones nerviosas despiertas, y suelta una pequeña sonrisa, ahogada en este solitario lugar.

También se ha ocupado de hacer algo más. En la pared, encima de la cama, ha escrito con la sangre de ese cerdo: «Uno menos».

Así los dos monstruos que todavía andan sueltos sabrán que pronto les va a dar caza y, aunque sea lo último que haga, no piensa dejar a ninguno de esos seres asquerosos con vida. Es una promesa que se hizo ella misma y piensa llevarla a cabo. No teme las consecuencias, no tiene miedo de que en medio de ese tormentoso camino puedan acabar con ella ni de la posibilidad de ser capturada e ir a la cárcel; lleva demasiado tiempo con un plan perfectamente calculado y sabe qué hacer y qué no hacer para que al menos no sea atrapada demasiado pronto. Mientras tenga tiempo para acabar con su venganza, será suficiente.

Con este último pensamiento Isabel deja atrás esa casa para continuar con su plan. Al cerrar la puerta de madera percibe algo más en su interior, algo que hace muchos años no sentía. Siente paz.

Capítulo 3. Isabel

Cuando ocurre algo tan traumático que no te deja seguir adelante,
el transcurso de tu vida se detiene, se queda estancado,
y lo único que puedes hacer es consumirte por dentro.

—¿Bueno, que te parece? —comenta Elisa al bajar del coche con una sonrisa iluminando su rostro.

Mientras tanto, Isabel se arrastra por el suelo para dar un par de pasos de forma exageradamente pesada, dando la espalda a su hermana con una mochila roja desgastada colgada por un hombro. Elisa no hace caso de esa actuación y vuelve a realizar la misma pregunta con la misma sonrisa en sus labios.

Isabel exhala un sonoro suspiro para, a continuación, examinar con rapidez el lugar y decir, todavía de espaldas a Elisa:

—No me gusta —comenta como si nada, antes de alejarse con los brazos cruzados.

«Empezamos bien», piensa Elisa intentando no desesperarse.

—¡Isabel! —dice Elisa en la cocina rústica después de terminar de hacer la cena secando sus húmedas manos con un trapo—. ¡Isabel! —vuelve a repetir dando una última mirada a los dos platos con espaguetis y una salsa de carne por encima acompañado de queso rallado antes de dirigirse a la puerta de atrás para ir a buscar a su hermana. No obstante, al abrirla, su corazón da un vuelco al ver la figura de una persona extraña a escasos centímetros de ella.

—¡Madre mía! —consigue articular Elisa con la mano en su corazón desbocado. Enseguida se calma al ver que se trata de Manuel, ese chico que le ha entregado las llaves de la casa cuando llegaron aquí.

—Lo siento, señorita, no quería molestarla —dice el chico desgarbado y pelirrojo con una mirada que contradice sus palabras al verla de una forma tal que le pone la piel de gallina.

—Tranquilo. —Elisa se apresura a pensar en cualquier excusa para deshacerse de ese individuo—. Tengo que buscar a mi hermana, así que…

—Me gustaría —empieza a decir interrumpiéndola— poder salir con una preciosidad como tu algún día. —Al acabar de decir esas palabras, Elisa ve alarmada cómo se acerca a ella.

—Lo siento pero tengo novio —miente para salir de la situación.

—No importa, cielo. No tiene por qué saberlo.

Vuelve acercarse y esta vez Elisa le da un buen empujón.

—Será mejor que te vayas —dice con aparente voz fuerte y segura.

Las mejillas pecosas de Manuel se vuelven tan rojas como su pelo y su actitud pasa a ser amenazadora en unos instantes. Elisa siente más miedo a cada segundo que pasa pero, para su alivio, ve como Manuel se va a paso rápido sin hacer ni decir nada más. No obstante, esa sensación de alivio no dura mucho, al no saber dónde está Isabel; se alarma sobremanera al pensar que ese sujeto podría encontrarla ahí fuera…

—¿Qué? —pregunta Isabel de mala gana apareciendo de repente por detrás.

—Isabel —exclama con alivio—, ¿dónde estabas?

—Explorando —dice, como si nada, antes de sentarse en la pequeña mesa de madera de la cocina.

Manuel entra de mala gana por la puerta de atrás en ese espacio pequeño y oscuro donde tiene que trabajar para no morirse de hambre. No tener dinero es un auténtico asco. Tiene que terminar de arreglar esa estúpida lámpara que un cliente anterior rompió, pero se siente tan humillado que la lanza con fuerza contra el suelo.

—Qué humor —dice una voz masculina y totalmente desconocida a sus espaldas.

—¿Quién coño eres? —exclama asustado pero disimulando esa sensación por una actitud intimidatoria.

Un chico joven aparece delante de él con la misma actitud que él ha mostrado hace apenas unos instantes. Con el impacto de su aspecto físico, alto y fuerte, ese efecto es más devastador. Manuel observa también a un chico gordo detrás, casi escondido como un perro faldero que tiene miedo de los desconocidos.

—He venido a hacerte una propuesta de trabajo. —Camina unos pasos a su alrededor y acto seguido saca un fajo de billetes de sus pantalones oscuros. Al verlo, a Manuel se le salen los ojos; jamás en su vida había visto tanto dinero junto. Está claro que ese dinero ha captado su atención y ha dejado de lado hacerse el duro.

—¿Qué clase de propuesta?

—Tienes algo que nos interesa.

—Sí... y tanto... —dice el chico gordo, con ansias, detrás.

—¡Cállate, imbécil! —exclama enfadado ese desconocido; sus gritos surten efecto porque el gordo agacha la cabeza sin atreverse a decir nada más.

—La ubicación de una chica que nos gustaría visitar...

—¿Una chica? No será sobre esa puta que se llama Elisa.

—Exacto. —Se sorprende de que haya identificado su objetivo antes de decir nada, entonces se da cuenta de una cosa, una palabra que sobresale de esa frase—. ¿La conoces?

—Ya me gustaría —comenta con desdén, apartando la cabeza, intentando no aparecer avergonzado sin conseguirlo.

Manuel no quiere revelar su humillación, así que se abstiene de decir cualquier cosa más que pueda sugerirla. De vuelta a mirar a ese extraño chico, ve que una sonrisa fría aparece.

—Está buena, ¿verdad? —Solo obtiene silencio y decide continuar—. Y va marcando su cuerpo con ropas claramente seductoras, y cuando un hombre se le acerca se hace la digna, ¿sabes por qué? —Ve que ha captado el interés de Manuel—. Porque es una zorra. Se cree que puede hacer lo que quiera y merece una lección. —Las últimas palabras toman un matiz más frío, más oscuro.

—Te escucho —comenta Manuel más animado.

Elisa se encuentra tumbada en la cama sin poder conciliar el sueño. Ese sujeto la ha puesto nerviosa; Isabel no ha visto nada y ha evitado comentarla nada para no preocuparla. Vuelve a girarse en la cama para encontrar una postura más cómoda y poder al fin descansar un poco. No obstante, un sonido extraño, como una especie de chirrido, acaba con el poco sueño que tenía, así que decide levantarse e ir a la cocina a beber un poco de leche.

Al salir de su habitación, siente el frío de la noche y se proporciona un poco de calor con sus brazos. Antes de dirigirse hacia las escaleras para ir al piso de abajo, decide mirar al interior de la habitación de su hermana para ver si se encuentra dormida. Por suerte así es, y vuelve a cerrar la puerta con mucho cuidado para no despertarla.

Elisa se encuentra ajena a la pesadilla que está a punto de vivir, con una sombra detrás de ella a punto de atraparla...

Por un efímero instante, Isabel realmente creyó que esa sensación de paz recorriendo su interior y calentando su espíritu perduraría, pero se equivocó. Las pesadillas volvieron, las mismas que durante tanto tiempo la habían estado atormentando y no la dejaban tranquila.

Aparecen puntuales, cada noche, y cada noche la oscuridad la envuelve por enésima vez. Su mente la atormenta repitiendo una y otra vez el mismo horror que vivió. Cada noche siente lo mismo, oye lo mismo y experimenta lo mismo que ese fatídico día que cambió su vida para siempre. Es una tortura con la que se ve obligada a vivir.

Regresa a ese instante en el que se encontraba medio muerta, tirada boca abajo en el suelo, como si solo se tratara de una cosa. El simple hecho de respirar era un suplicio, sentía un dolor indescriptible que empezó en su abdomen y le recorrió todo el cuerpo, notando el gusto salado y amargo de su sangre. Por su boca escapó un río caliente y espeso, quitándole la vida poco a poco.

Recuerda cómo movía lentamente la tierra en cada amarga bocanada de aire. Sus fuerzas se escapaban y, sin embargo, no podía cerrar los ojos. Sin saber la razón, su mirada se centró en ese puente de hierro que captó su atención cuando llegaron. El aroma de la naturaleza rodeaba sus fosas nasales, dando un respiro a tanto olor de ciudad cargada. Sin embargo, a ese aroma lo sustituyó otro mucho más amargo, pues ese trozo de metal interrumpe el aspecto de la naturaleza de su alrededor, de los árboles orgullosamente erguidos y de la casa de piedra donde alteraron su calma.

Inmediatamente, los desgarradores gritos y súplicas de Elisa la hicieron salir de su estupor. Cerró los puños por la rabia, su piel se agrietó y sus uñas de desgarraban por la impotencia de no poder hacer nada: solo escuchar las risas de esos tres hombres que decidieron desgraciarles la vida sin compasión.

Sin embargo, juntó las fuerzas que le quedaban e intentó levantarse, todo su cuerpo respondía a esa hazaña con más dolor, pero siguió intentándolo, hasta conseguir apoyar el codo izquierdo en la rasposa tierra. Finalmente, aunque con lentitud, apoyó las dos rodillas.

De su garganta logró sacar leves sonidos de quejas, descansó su mano sobre el foco de su dolor, pero la sangre no tardó en cubrirla totalmente. Deseó con todo su ser tener las fuerzas necesarias para levantarse y ayudar a su hermana. No obstante, Isabel sintió un fuerte golpe en la espalda que la dejó tirada en el suelo de nuevo.

Empezó a perder el mundo de vista; aunque intentó mantener los ojos abiertos solo consiguió ver imágenes borrosas. Los gritos de Elisa, el sonido del agua del río, todo a su alrededor comenzó a desvanecerse poco a poco. Tan solo podía oír su respiración agitada sucumbiendo al terrible deseo de dormir.

Apenas notó cómo alguien la sujetó por encima de los brazos y le arrastraba las piernas hasta llevarla justo en medio de ese puente al que había dedicado tantos pensamientos, totalmente ajena a las risas que a esos desgraciados les producía la inminente muerte de la hermana pequeña, mientras la mayor observaba horrorizada sus planes y suplicaba por la vida de la pobre joven.

Estirada con un brazo colgando del puente y medio muerta, Isabel tuvo lo que pensó fue un momento de lucidez cuando, al observar los tres pares de zapatos diferentes tan cerca de sí, supo que sus próximas acciones serían las últimas de su vida, así que no quiso darles ninguna satisfacción. Con las últimas fuerzas de su cuerpo, rodó como pudo hasta tirarse al agua, esa agua teñida de rojo, reflejo de los primeros momentos de la salida del sol.

Segundos después se escuchó el impacto de su cuerpo chocando contra la superficie del agua. Fue su decisión. Durante esa fracción de segundo, con su cuerpo tirado al vacío, vio por última vez a Elisa, totalmente ensangrentada y manchada por la tierra, tirada en el suelo y llamándola a ella, a Isabel.

Las corrientes la arrastraron como a una pluma de un pájaro que, agitando sus alas, se escapa de las demás. Percibió una mezcla de sensaciones al sentirse fría por el contacto con el agua. Después el frío fue desapareciendo en algunas partes de su cuerpo y comprendió que era por su caliente flujo de sangre. Con ese último pensamiento dejó de luchar, cerró los ojos y esperó a que la muerte la alcanzara.

Isabel estuvo inconsciente durante semanas, debatiéndose entre la vida y la muerte. Finalmente esa batalla interior terminó, aunque en lo más profundo de su ser no quería esa clase de resultado.

Despertó en medio de batas blancas, goteros y personas que no paraban de comprobar su estado. Los primeros días apenas pasaba unos minutos despierta; los sedantes se ocupaban de que su cuerpo no sintiera ningún dolor más de a los que había estado expuesto.

Esos pocos momentos que estuvo despierta, vio la imagen de su madre llorando, cogiéndole las manos y besando sus dedos con mucho cuidado y a su padre caminando de un lado a otro de la habitación con su típico gesto, con la mano frotando su frente. También recuerda la visita de su médico en que les dijo a sus padres que no había sufrido ninguna violación.

«Yo no», pensó Isabel amargamente sin poder contenerse despierta ni un segundo más y volver a sumergirse en una pesadilla constante.

El dolor indescriptible de perder una hija volvió a unir a los padres de Isabel, sufriendo juntamente esa pérdida que solo ellos dos podían sentir.

Sus padres eran muy temerosos. Desolados por la pérdida de una hija y dando gracias por conservar a otra, decidieron irse lejos para tenerla a salvo, después de lo que Isabel les contó. Les relató no solo lo que ocurrió sino que les había visto la cara a los tres que jugaron con sus vidas, que no se molestaron en ocultar sus rostros, seguramente porque no pensaban dejar ningún testigo.

Con Isabel a salvo, sus padres decidieron llorar el dolor y olvidar la desgracia. No obstante, Isabel no podía olvidar. No podía obviar que, por culpa de unos desgraciados, ya no podría volver a ver la sonrisa sincera de su hermana, volver a sentir sus brazos rodeándola cuando estaba triste ni escuchar su dulce y elocuente voz nunca más.

Tampoco podría olvidar nunca que antes de que esos desgraciados atravesaran su piel con un cuchillo, desgarraron su carne y, por si eso fuera poco, la obligaron a mirar cómo hacían sufrir a Elisa. Cada terrible acto, cada horroroso momento, lo había visto todo. Cómo podría olvidar algo así.

Durante los meses siguientes, día tras otro se encontraba en posición fetal, abrazando sus rodillas encima de la cama, simplemente llorando y mirando a través de la ventana de su nueva habitación cómo el cielo azul se volvía más oscuro.

Sus padres no sabían qué hacer, intentaron llegar a ella, pero cada intento era inútil; se había roto de tal forma que ya no era esa dulce niña que una vez tuvieron junto a ellos. También influyó que sus padres optaron por olvidar, algo inconcebible desde el punto de vista de Isabel, algo que nunca podrá llegar a perdonarles.

Isabel solo quería que el mundo la dejara en paz, sumida en una incomprensión que la atormentaba. No podía dejar de hacerse la misma pregunta una y otra vez intentando en vano buscar una respuesta.

Sobrevivió. Solo ella lo hizo. No entendía el porqué y el para qué de ese hecho, por qué sobrevivir a algo así, con todo ese dolor que la desgarraba y cada acción o cada pensamiento contaminados por el pasado.

Ya nunca podría ver un rayo de luz de esperanza dentro de su oscuridad, ni jamás podría llegar a entender a la naturaleza humana. Cómo podía haber personas que sintieran placer al hacer daño a otras personas, no lo entendía. Tampoco comprendía cómo, si había un Dios los protegía, permitía que las personas se masacraran unas a otras sin hacer nada.

Nada tenía sentido. Nada.

Ni siquiera recuerda cuánto tiempo estuvo de esa manera, atormentándose.

Hasta que, finalmente, llegó el día en que toda esa tristeza se convirtió en rabia, cada tormentoso pensamiento en algo mucho peor. Sus heridas externas fueron sanando, pero las internas, no: fueron creciendo hasta convertir su rabia en una oscuridad que la consumió por completo, llegando a apoderarse de ella y ofreciéndole un camino por el que seguir luchando. Un sendero para darle sentido al hecho de que saliera con vida del infierno. Y a partir de ese momento solo le importó una cosa, a pesar de lo que debiera hacer o a quién hiciera daño en ese camino para llegar a su meta: la venganza.

Y sabía exactamente por dónde empezar.

Recuerda perfectamente cómo, en medio de la noche, mientras las dos estaban durmiendo tranquilamente, de repente irrumpieron en medio de la oscuridad. Las arrastraron de la cama, ataron sus manos y las arrodillaron juntas en medio del rústico salón, iluminado débilmente por una lámpara de pared de aspecto antiguo.

Nunca en su vida había sentido tanto miedo. Miró a su hermana y se preguntó cómo podía mantener esa serenidad, aunque después pudo comprobar que sus ojos verdes estaban sumidos en la preocupación y el miedo.

—No digas nada —le susurró Elisa cuando vio un momento oportuno de distracción.

—Pero…

—Haz lo que te digo. —Nunca dijo nada con tanta seriedad.

Elisa susurró sorprendida el nombre de Roberto cuando la luz captó su rostro. Él no paraba de hablar, repitiendo una y otra vez a Elisa que todo esto era por su culpa, por haberse negado una y otra vez a salir con él cuando, en cada clase de la facultad, sentía sus miradas sobre él deseándole.

—¿Que tonterías estás diciendo? —comentó Elisa, exasperada por la ridícula acusación.

Sin embargo se arrepintió enseguida porque la respuesta de Roberto no fue más que una bofetada, dejando una marca roja en su mejilla.

Isabel sintió todo su cuerpo paralizado por el miedo. ¿Qué podía hacer una niña asustada de catorce años? Solo observar aterrorizada.

Elisa intentaba mantener su mente lo más clara posible y no sucumbir a ese miedo que amenazaba en salir. No podía perder la calma. Tenía que saber qué movimientos seguir. Debía hacerlo por Isabel.

Ella miraba a los tres hombres erguidos delante de las dos, mostrando su superioridad, los examinaba. Roberto podía gritar todo lo que quisiera e imponer su poder, pero estaba claro que no era más que un títere en manos de quien realmente mandaba sobre los otros dos, otra marioneta en manos ajenas. El otro, atento a las órdenes, era un hombre pelirrojo, Manuel. La ponía muy nerviosa cómo se retorcía las manos mientras la miraba. Y al lado de Manuel se encontraba otro hombre, uno que, a diferencia de los otros dos, se quedó totalmente callado, sin mostrar ningún tipo de emoción en su pálido rostro. Sin embargo, algo extraño albergaba en sus ojos. Aparte de una aterradora frialdad, tenía algo más detrás del color azul de su iris. Más tarde comprobó que lo que había detrás era algo oscuro y enfermizo.

Han pasado siete años, pero el horror de esa noche seguirá acompañando a Isabel para siempre. Nunca se podrá saber todo lo que puede soportar el corazón humano.

Lo que la consuela en estos momentos de amargura es recordar el dolor que le causó a Roberto. Lo rememora con exactitud. Después de la primera herida vino otra, y luego otra todavía más dolorosa. Una incisión en medio de la fofa y peluda carne de su pecho para escribir ese nombre que supuso su último aliento en este mundo.

Siente con gran satisfacción sus gritos de dolor, y sus inútiles y patéticas súplicas fueron gloria para sus oídos. Nunca había notado algo parecido.

Más de una vez, en medio de sus gritos, Isabel cerró los ojos al levantar la cabeza hacia el techo, disfrutando al máximo de esos momentos, percibiendo una sensación antes desconocida recorriendo cada centímetro de su ser al levantar la piel y arrancarla de su asqueroso cuerpo, y así repetidamente hasta llegar al clímax, donde hundió por completo el cuchillo, emitiendo un grito que escapó de su garganta, que cortó el aire al descender el cuchillo lo más rápido posible hasta hundirlo en plena masculinidad de Roberto.

Su desgarrador grito de dolor consiguió aplacar ligeramente los sentimientos de culpabilidad que todavía atormentan a Isabel.

No puede olvidar que, en el verdadero momento en que su hermana la necesitó, solo se quedó paralizada por el miedo.

Todo el plan trazado para esta noche se ha cumplido. Solo falta la última parte.

Lleva el deportivo plateado lejos de allí, la oscura noche empieza a despedirse para dejar paso a la primera claridad de la mañana.

Conduce varios metros. Detiene el coche un momento sin apagar el motor para coger unas cuantas cosas de un pequeño automóvil estacionado que tiene escondido entre los árboles.

Ha caminado por este lugar durante semanas para preparar este momento, podría desenvolverse con los ojos cerrados sin perderse ni un momento. Una buena hazaña, ya que no es fácil conocer un bosque.

Abre el maletero del destartalado coche y toma un bidón de gasolina, un mechero con una imagen sensual de Betty Boop y un móvil desechable para poner en el asiento del copiloto del coche de Roberto. Acto seguido, conduce otra vez el deportivo hasta llegar a un claro.

Al salir, sus pies, ahora descalzos, sienten la tierra fría cuando baja del coche, dejando la puerta del conductor abierta.

Sin perder un momento, se apresura a llamar por teléfono a la policía relatando dónde pueden encontrar un maltrecho cadáver; luego empapa el deportivo con el líquido inflamable, por dentro y por fuera, y, finalmente, enciende el mechero con una sonrisa en su rostro.

Con solo rozarlo el resultado es instantáneo. Las llamas hacen su aparición sin demorarse para consumirlo todo.

Isabel se queda allí quieta unos instantes, mirando cómo el fuego lo quema todo, pensando en su hermana y en que esta noche precisamente hace siete años de su asesinato.

Con calma, levanta el brazo para quitarse la molesta peluca rubia, dejando que el aire escampe sus rizos azabaches, dejándolos libres.

Hace lo mismo con las lentillas, con sus ojos marrones de nuevo vuelve a mirar cómo esas llamas ya han consumido buena parte de ese coche testigo de tantas atrocidades del pasado.

Antes de abandonar el lugar, vuelve a aparecer esa sonrisa que fue olvidada por mucho tiempo.

Esto solo es el principio.

Capítulo 4. Quedan dos

Raúl se siente nervioso, demasiado para fingir tranquilidad. En todos los noticiarios, en cualquier periódico a su alcance, se hacen eco de la noticia del brutal asesinato de su antiguo compañero de juegos.

La muerte de ese imbécil no despertaría ninguna clase de reacción en él si no fuera porque han salido a la luz detalles que le han provocado un desequilibrio, como el nombre que el asesino le escribió en medio del torso o el mensaje que dejó con la sangre de su víctima.

Raúl sabe perfectamente de qué se trata, aunque no entiende con qué tiene que ver esto ahora, después de tantos años. «¡Mierda!», grita arrojando todo lo que hay encima de su caro escritorio caoba y tirando al suelo documentos importantes, un marco con la fotografía de su esposa y un costoso ordenador portátil de última generación.

Asustada, Clarisa, su secretaria, una mujer de mediana edad que siempre lleva esa ropa que la hace parecer todavía más mayor, entra enseguida para ver el motivo de todo ese ruido.

—Señor Silva, ¿se encuentra bien? —le pregunta a su jefe. Éste se encuentra con los brazos apoyados en su escritorio y de espaldas a la dirección donde ella se encuentra, respirando agitadamente, con la camisa morada con algunas manchas de sudor. Está escandalizada ante esta visión, totalmente contraria a la acostumbrada. Seguidamente le pregunta—: ¿Puedo hacer algo para ayudarle?

Raúl respira más pausadamente, se gira para mirar a su secretaria y camina lentamente hacia ella. Clarisa siente algo extraño. Su mirada fría y la expresión extraña de su rostro le provocan un escalofrío y hace que a cada paso que él da hacía ella, quiera retirarse uno hacia atrás.

A pocos centímetros de ella, la mira con una tranquilidad alarmante, y lo que le dice a continuación lo hace alzando su voz cada vez un poco más.

—Clarisa, ¿cuántas veces te he dicho que no entres sin llamar?

Acto seguido le cierra la puerta de su despacho en sus narices, la misma donde tiene a la altura de sus ojos la placa color dorado con letras negras «Director de Recursos Humanos».

Clarisa regresa a su pequeño escritorio impactada por la sorpresa, todavía sin creerse el aspecto de su jefe: el pelo revuelto cuando nunca se permite tenerlo por debajo de perfecto y su rostro más pálido que de costumbre.

Constantemente ha demostrado un comportamiento sereno, mantiene un orden que raya la obsesión, sin permitirse ni un hilo fuera de sitio. Sin embargo, despliega un toque elegante de amabilidad, siempre tiene una buena palabra para ella y, hasta en alguna ocasión, algún que otro elogio.

Sabe que es ridículo que un hombre como él, atractivo, sin haber cumplido todavía los treinta ocho años y con poder pueda poner la mirada en una secretaria cuarentona que, en el calor de su hogar, solo le espera la compañía de dos gatos que son su único contacto fuera del trabajo, sin nada atrayente que ofrecer. Aun así, no puede evitar sonrojarse cuando lo tiene cerca.

Raúl se ha dado cuenta demasiado tarde de la pérdida de su control. Tiene que dominarse. Su actitud es ridícula, suerte que solo le ha visto así la tonta de Clarisa. Únicamente tiene que echarle un par de piropos a esa estúpida vieja y enseguida volverá a tenerla comiendo gustosamente de su mano. Pero tiene que andarse con cuidado, no puede aflojar su dominación, no es aceptable esa posibilidad, aunque no le resulta nada fácil conseguirlo.

Con la respiración todavía un poco agitada, pasa sus dedos por su engominado pelo con la mano donde reluce su anillo de oro de casado.

Camina arriba y abajo de su voluptuoso despacho agitando los brazos una y otra vez para luego pasar su mano por el cuello y respirar hondo. Cierra los ojos con el simple propósito de relajarse. No obstante no puede, porque un sentimiento de ahogo le consume. Con desesperación se arranca la corbata para sentir un poco de aire.

«¡Tienes que controlarte, joder!». No puede creerse que un simple hecho como éste pueda afectarle tanto.

¿Qué importa que ese insignificante de Roberto haya sido asesinado y que esa muerte esté relacionada con lo que hicieron juntos en un pasado? No hay forma de probar nada y, aunque lo hubiera, sabría cómo encargarse del asunto. Siempre mantiene el poder a su lado. Todavía no ha conocido a nadie que pueda con él y está completamente seguro de que no lo habrá nunca.

Un poco más relajado mira el estropicio que ha provocado unos minutos antes y, pese a que él mismo piensa que ése es un trabajo muy rebajado para él, prefiere hacerlo para evitar tontas preguntas y mejor antes de que alguien más atraviese la puerta.

Seguidamente suelta una mueca de desagrado y pone una rodilla en el suelo para recoger en primer lugar el ordenador portátil, a continuación, los documentos y, por último, el marco de plata que contiene la imagen impresa de su esposa.

La fotografía de la cabeza hueca de Carolina le arranca un poco de un ánimo escondido. Una sonrisa fría aparece con la sencilla idea de que su querida esposa puede mejorar su día haciendo recorrer un placer por su cuerpo que pocas cosas pueden superar.

Ese pensamiento le conduce a pensar de nuevo en Elisa.

Para evitar que su enfado vuelva a dominarle se centra en la cuarta pared de su despacho, que se compone de tres grandes ventanas que conforman una pared de cristal desde la que tiene una vista espléndida de buena parte de la ciudad. A continuación vuelve a cerrar los ojos, moviendo el dedo pulgar y el índice por su entrecejo antes de respirar hondo por enésima vez esta mañana.

Tiene una reunión en menos de media hora para hablar sobre qué más despidos hacer frente para superar estos tiempos de crisis. Se trata de la única tarea de la empresa que le produce un morboso placer: ver cómo personas de cargos importantes se desmoronan al decirles que ya nunca más van a pisar esas oficinas.

No obstante, quiere irse, dejar atrás el grande y poderoso edificio de las oficinas centrales del banco para que su linda esposa sirva para algo más que para menear el trasero. Necesita desahogar su frustración y su mal humor con alguien, y en ese momento encuentra utilidad en su inútil esposa.

Se dirige prácticamente corriendo hacia su orgulloso Jaguar negro. Con delicadeza introduce la llave en la ranura. Lo último que querría es que se rayara su última adquisición.

Con un soporte táctil enciende la música. Solo tiene un mes, pero todavía se puede apreciar el olor a coche nuevo. Antes que nada, se detiene a mirarse un segundo por el espejo retrovisor, orgulloso de su aspecto y, sin más dilación, rápidamente arranca a su maravilla, dejando atrás marcas de neumáticos en el asfalto y un ruido estridente a su paso.

Carolina se encuentra sentada en un cómodo sofá en medio del salón mirando al vacío, delante de la televisión de pantalla plana de 42 pulgadas y al lado de la enorme pecera llena de peces que no sabe ni nombrar.

En una mano mantiene un vaso de vino blanco; aprovecha el tiempo para estar un poco más relajada que de costumbre, hoy que la criada tiene el día libre. Es cuando el sol está presente, alumbrando con sus potentes rayos, el momento en que puede permitirse un rato de una tranquilidad extraña, una paz que le permite respirar, aunque no sin mantenerse alerta constantemente por si ocurre algo que perturbe estos momentos.

Las yemas de sus dedos acarician su nueva pulsera de oro con pequeños detalles de diamantes que la complementan y que rodean su esbelta muñeca. Acto seguido, esas mismas yemas pasan a acariciar algo peor: el moretón que tiene encima de su mejilla y que su marido le impuso hace apenas dos noches.

Sin poder evitarlo, una lágrima desciende por su mejilla dañada rememorando esos tiempos en que era un hombre cariñoso, cuando le mostró un mundo nuevo lleno de cenas en restaurantes de lujo, costosas joyas y cualquier capricho que se le podía ocurrir. Se dejó deslumbrar por ese mundo.

Aquellas palabras de elogio y el trato afectivo con la que la rodeaba terminaron el mismo día en que le puso su anillo, el mismo que selló el compromiso matrimonial que comparten.

Ese día el sol iluminaba el diamante de su dedo, pero su vida dejó de brillar.

Un ruido procedente del exterior la saca de sus pensamientos, provocando otros peores. El ruido de un coche la sobresalta y la impulsa a levantarse apresuradamente con una mano sujeta en el pecho, donde el corazón bombea a una rapidez alarmante. Sabe perfectamente a qué pertenece ese sonido. Lo escucha atemorizada todas las noches. Pero no puede ser. ¿Cómo es posible que sea él, si a estas horas se encuentra siempre en su querido despacho, en el que en ningún momento ni bajo ninguna circunstancia puede molestarle?

Carolina teme que algo muy grave debe haber ocurrido y piensa, derrotada, que ella será quien reciba la peor parte. Sabe los pasos exactos que hay desde donde aparca el coche hasta la puerta de casa. Conoce con exactitud el sonido de las llaves que salen de su bolsillo y el incómodo silencio después de que cierre la puerta y entre en casa.

Carolina no se ha equivocado en sus sospechas. Su marido se dirige hacia ella con esa mirada fría, bajo una expresión de enfado, que le pone la carne de gallina.

—Ho… Hola, cariño. No te esperaba tan pronto. —Intenta que su sonrisa parezca lo más natural posible.

Silencio otra vez. Solo ese horrible sonido de sus pasos andando acompasados cada vez más cerca.

Carolina no sabe qué decir ni qué hacer. Remueve un poco su cabellera rubia con la esperanza de que sea de su agrado y piensa con gratitud hacia ella misma que afortunadamente se ha acordado de estar maquillada exactamente como a él le gusta, disimulando las pequeñas arrugas que le empiezan a salir.

—¿Es que no puedo venir cuando quiera a mi propia casa? —dice con una tranquilidad que resulta más aterradora que ningún grito.

Ahora su marido tiene su rostro a pocos centímetros de ella. Su mujer puede ver perfectamente la simetría alargada de su rostro y el lunar que ocupa un pequeño espacio debajo del lado izquierdo de su labio.

Carolina no pude moverse por el miedo que le recorre por dentro.

Raúl levanta un poco el brazo derecho y su esposa da un respingo. En lugar de enfadarse, su marido le responde con una sonrisa. Él solo le pone bien un mechón de pelo a su esposa antes de descender ligeramente por su rostro para atrapar los labios de su esposa.

Carolina permanece quieta y sorprendida. No se atreve a realizar ningún movimiento por miedo de su reacción.

El beso de Raúl no es un beso tierno. Es duro y frío como él. Parece que con este acto pretenda someterla. Así siente su poder contra ella sin ningún rastro más de sentimiento que ofrecer y aprieta su mano, fuerte, sin hacerle daño detrás de la cabeza.

—¿Qué te parece si salimos un rato? —dice sin haber movido todavía su mano de detrás de ella y mirándola directamente a los ojos.

—Me parece bien —consigue balbucear ella todavía sin salir de su asombro.

—Entonces ve a ponerte algo mejor y quítate esto —dice poniendo una mueca de desagrado al coger por el hombro, con el dedo índice y pulgar, un pequeño trozo de esa prenda que lleva Carolina, un sencillo vestido amarillo que le regaló su madre años atrás.

Ella no dice nada, solo asiente sutilmente la cabeza y le da la espalda para dirigirse a las escaleras que conducen a su dormitorio, cosa que se arrepiente de haber hecho porque Raúl aprovecha para cogerla desprevenida y mandarla al suelo de un buen golpe con su antebrazo.

La mejilla dañada da el primer impacto contra el suelo, luego su cabeza y un inevitable quejido de dolor escapa de sus labios. Intenta tragarse el dolor y no dejar escapar ningún sonido porque eso le enfurece aún más.

—Íbamos a tener un buen día —Raúl camina alrededor de su esposa todavía tirada en el suelo—, pero has tenido que estropearlo todo.

Con una expresión enfermiza en su rostro, levanta a Carolina como si no fuera más que el peso de una hoja de papel, le coge el rostro clavando sus uñas en la piel y le obliga a mirar hacia la mesita de madera donde ha dejado varias veces su vaso de vino y una pequeña roncha húmeda.

—Lo siento. —Carolina intenta mirar a Raúl, sabe que le gusta que le miren cuando suplica por algo—. Por favor, no me hagas daño. Lo siento mucho, de verdad… No se volverá a repetir. ¡Lo prometo!

—Como vuelva a repetirse —mantiene el silencio para que Carolina sienta más miedo aún— voy a hacerte mucho más daño de lo que te imaginas.

La suelta violentamente, haciendo golpear otra vez su cabeza contra el suelo. Para alivio de Carolina, oye cómo sus pisadas se alejan de ella para, momentos después, escuchar la puerta principal que se cierra y el motor del coche arrancando.

Un hilo de sangre desciende por su cabeza y se derrama en el suelo. Se mantiene donde está, solo acerca sus brazos a su cara para apoyarse en ellos y, a continuación, deja escapar su dolor en forma de lágrimas, humedeciendo su magullado rostro.

Únicamente se queda ahí llorando con fuerza al pensar en lo estúpida que ha sido al bajar la guardia de esa manera. Sabía desde un principio que estaba de mal humor; todas las señales lo dejaban claro. Daba igual la excusa, tarde o temprano en ese salón hubiera pasado lo mismo que hace unos momentos, independientemente del motivo que alegara después.

¿Por qué? ¿Por qué tiene que vivir de esta forma? Desearía ser una persona más fuerte para salir de este infierno.

Raúl ha tenido que recurrir a su autocontrol para no descargar todo su mal humor con Carolina. Si lo hubiera hecho seguro que habría acabado con su vida y ahora lo que menos le interesa es preocuparse por deshacerse de un cadáver.

Aunque ganas no le faltan para hacer desaparecer a esa inútil. En los tres años que llevan casados, su cuerpo, que antes deslumbraba allá donde fuera, ha ido perdiendo mucho, quedándose cada vez más delgada. Ahora solo es un asqueroso saco de huesos para él. Su belleza ha quedado sustituida por la sequedad que en este momento constituye su rostro.

¿Qué beneficio obtiene con una mujer que parece un espantapájaros si no puede sembrar la envidia entre sus conocidos?

No ha tardado en comprender que necesita a otra mujer a su lado y ya sabe a quién elegir. La misma persona que en este momento tiene en mente, porque seguro que ella sabrá cómo calmar su mal genio.

Raúl conduce en medio del paseo de la Castellana rodeado del bullicio, sintiendo ese olor cargante que solo ofrecen las grandes ciudades y que se te queda dentro sin querer salir. Cláxones. Gritos por las calles. Aglomeraciones de gente. Algo constante en esta gran y activa ciudad que la convierte en un lugar verdaderamente irritante. Y se encuentra en medio de todo, provocando un aumento de su frustración.

Su Jaguar se mantiene parado en un semáforo en rojo. En ese momento suelta una mano del volante para masajear otra vez la piel tensa de su cuello, expectante por su encuentro con Vanessa.

Vanessa... Ese nombre aflora sus instintos básicos. Ese cuerpo puede volver loco a cualquier hombre. No puede evitar pensar en su cabellera pelirroja enmascarando un rostro de indiscutible belleza, salpicado ligeramente con unas suaves pecas situadas al principio de la nariz, sus apetecibles labios con sabor afrutado, pechos grandes y llenos, una cintura de avispa, esa piel suave al tacto como la seda y unas largas piernas.

Con todos estos atributos es totalmente comprensible que se ganara la vida como modelo antes de casarse con Gerardo. «Pobre idiota», piensa divertido mientras se esfuma ligeramente su mal humor al imaginar la patética cara que pondría si supiera que su supuesto mejor amigo, en realidad, se está tirando a su querida esposa.

«Mejor amigo. ¿Cómo puede ser tan imbécil?». Solo le está utilizando para subir escalones en su empresa y, al ver qué clase de mujer tenía a su lado, enseguida tuvo como objetivo conseguirla, cosa que no fue nada difícil.

Vanessa es una mujer interesada que apuesta al mejor postor y, aunque no brilla por su inteligencia, tampoco por su ignorancia. Se ha dado cuenta del potencial de Raúl y que le puede ofrecer mucho más que su actual apuesta.

¿Qué se puede decir de una mujer que se lía con otro hombre a las tres semanas de haberse casado? Esa pequeña carrera para conseguirla duró tan poco que no fue tan satisfactoria como creyó en un principio, aunque el resultado final de sus encuentros sí lo sea. Ella sabe muy bien cómo complacer a un hombre.

Raúl traspasa la puerta principal de Madrid Tower, un hotel de lujo, y va directo al recepcionista, que ya le ha alquilado la misma habitación varias veces.

Al dejarle el ascensor en el tercer piso, Raúl camina sin detenerse a mirar el número de la habitación. Al cabo de poco, se queda quieto delante de la puerta blanca con el número de la habitación escrito en color dorado. Con la tarjeta en la mano espera a que la luz roja cambie a verde.

Solo al entrar ya la encuentra allí dispuesta.

Al cabo de poco, el perfecto orden de la habitación se encuentra alterado, con ropas tiradas por el suelo producto de actos de deseo incontrolables.

Vanessa nunca le había visto de esa forma. Su amante no se ha caracterizado por su delicadeza, pero nunca la ha tratado así.

La posee, cogiendo sus brazos con fuerza por encima de la cabeza, ignorando completamente sus quejas de que no sea tan rudo con ella. Su expresión es fría, sus ojos parecen mirarla, pero en realidad no es así. Él es quien tiene el control. Hasta que se deja llevar y, finalmente, estalla.

Todavía retorciéndose por las sensaciones que Raúl acaba de provocar en su cuerpo, Vanessa mantiene los ojos cerrados intentando recuperar el aliento, mientras él ya empieza a rebuscar su ropa por el suelo.

—¿Ya te vas?

—Tengo cosas importantes que hacer —dice dándole la espalda mientras mete el otro brazo dentro de la camisa.

—¿Más importantes que yo?

—¡Oh, nena! —Se acerca a ella y posa levemente un dedo bajo la barbilla para que le mire directamente a los ojos. Después de besar sus labios, le comenta con voz suave y calmada—: Cualquier cosa es más importante que tú.

Ahora sí que se va de este lugar satisfecho, dejando atrás una enfadada Vanessa.

Seguidamente, ya más calmado, regresa a su despacho para volver a encargarse de su trabajo: una sensación que pronto desaparecerá al escuchar al otro lado del teléfono una voz conocida.

Capítulo 5: Alejandro

Pase lo que pase, en su tormentoso camino
no hay un final feliz esperándola.
Ya está manchada por el horror.

Isabel vuelve a ser atacada, otra noche más, por sus demonios personales. El pasado sigue persiguiéndola sin descanso. Pero ésta es una noche diferente. En medio de los escalofriantes gritos de terror y angustia que escapan de ella sin control, encuentra una calidez. Una sensación que la rodea y le hace sentir que está protegida, incitando a despertarla de esa pesadilla para poder ver la luz de un nuevo amanecer.

Esa calidez se llama Alejandro.

Isabel agita su cuerpo intentando pelear con sus fantasmas. Alejandro se levanta de la cama al oír sus gritos desde la fina pared que separan sus habitaciones, recorriendo el camino tan conocido para él últimamente hasta la cama de Isabel. Intenta coger con suavidad esos brazos agitados y le repite una y otra vez que está a salvo junto a él. Aun con todo eso, no puede impedir que ella le de un buen golpe en la mandíbula sin querer.

Poco a poco, Isabel regresa a la realidad, sintiendo las suaves y calientes manos encima de sus antebrazos. Los dos se quedan unos momentos mirándose a los ojos, recuperando la respiración habitual. Solo al mirarlo a los ojos consigue que su alrededor tenga más sentido, provoca una sensación placentera dentro de ella y se siente mucho mejor.

Alejandro se ha convertido en un bálsamo para su atormentada existencia.

La deja descansar un rato más, se levanta de la cama y le comenta con voz suave y relajante:

—Voy a prepara el desayuno.

Antes de salir de la habitación, la débil voz de Isabel le retiene.

—Te he dado un golpe.

—Sí —dice girándose para mirarla y, acto seguido, se acaricia la mandíbula dolorida—. Tienes un buen derechazo. —Le dedica una sonrisa antes de dirigirse a la cocina.

Mientras pone la segunda rebanada de pan en la tostadora se queda pensativo y regresa al momento en que vio a una Isabel totalmente distinta a la que tenía de sus recuerdos de la adolescencia.

No queda ni rastro de esa chica dulce que se sonrojaba con facilidad, que apartaba la mirada y apenas se escuchaba su voz. Todo eso se ha perdido. Cuando apareció delante de él buscando un lugar donde refugiarse, no podía creer lo que estaba viendo. Las marcas de la desgracia han hecho mella en su delicado y joven rostro.

Isabel termina de vestirse en lo que ahora es su nueva habitación, un lugar donde solo cabe una cama y un pequeño armario, pero se siente más a gusto aquí que en ningún otro sitio.

Sabe que ésta era la antigua habitación de Alejandro. Él dice que no, pero las evidencias son claras, ya que las paredes están empapeladas de los posters de Queen y de otros grupos de rock. Le cedió su propia habitación y él se quedó en la otra que, además de ser la última del apartamento, es todavía más pequeña que ésta.

Ella acudió a él porque es la única persona que puede llegar a entenderla de verdad, porque él también pasó por su propio infierno cuando apenas era un adolescente.

Empezaron una relación de amistad cuando Isabel tenía solo trece años y Alejandro, catorce. Si bien los dos vivían muy cerca desde que eran unos niños. El conocimiento de la existencia del otro no vino hasta más tarde.

Vivían en un barrio residencial de Barcelona de clase media-alta. Todos se conocían y todos se criticaban.

La familia de Isabel le prohibió cualquier contacto con él por el hecho de estar sumergido dentro de una familia disfuncional. Todos sabían lo que pasaba dentro de esas paredes, pero nadie hizo nunca nada porque tenían miedo, o simplemente no querían involucrarse en asuntos ajenos.

Los gritos eran recurrentes cada noche y, a la mañana siguiente, la madre de Alejandro mostraba otro moratón en algún lugar visible de su cuerpo u otro labio roto, obsequio de su marido, que cada día que pasaba se hundía más en la desgracia bebiendo como un loco, entre otros muchos vicios. Alejandro era un niño que, en vez de encontrarse protegido y amado, estaba en medio de toda esa pesadilla día tras día, sin poder hacer nada.

En el instituto era como un cuerpo sin vida, yendo y viniendo sin rumbo fijo. Se ocultaba de los demás y si alguien se atrevía a meterse con él entonces estallaba, lleno de ira y violencia reprimida, desahogando su frustración con quien tuviera delante.

Isabel sabía que no tenía que acercarse a él. Sin embargo, un día como otro cualquiera, decidió hacerlo.

Recuerda perfectamente ese día. Sus dos «amigas» y compañeras de clase volvían a enfadarse entre ellas por una tontería, poniéndola justo en medio para luego pagarla con ella por no decantarse por ninguna de las dos. Harta de esa conducta tan infantil fue a pasear por la extensión, medio tierra y medio asfalto, que complementaba el centro del instituto, para distraerse en los últimos cinco minutos más de recreo que le quedaban. Detrás del árbol más alejado de los círculos de alumnos, se encontraba él otra vez allí, sentado y apoyado en el tronco.

Al contrario que a los demás, no le daba miedo, y pensaba que no había que condenarle por el destino que le había tocado vivir. Así que decidió acercarse. Alejandro miraba fijamente al suelo cuando, de repente, una sombra apareció tapándole el mismo trozo de arena que miraba todos los días.

Su primera reacción fue la de ponerse en guardia, hasta que comprobó que solo se trataba de una cría.

—Hola —dijo un poco nerviosa—. ¿Puedo sentarme?

La única respuesta de él fue encogerse de hombros.

Isabel intentó hablarle, pero Alejandro, escéptico, no dijo ni una palabra. Al cabo de un rato el timbre volvió a sonar indicando el comienzo de otra clase, así que se levantaron y Alejandro ni siquiera la miró. Sin embargo, Isabel decidió que era hora de destruir ese muro que se había formado a su alrededor.

Y lo consiguió. Poco a poco llegó hasta él y no solo descubrió su buen corazón oculto debajo de ese pelo un poco largo y enmarañado, sino que también podía mantener una conversación intelectualmente estimulante.

Era diferente. Además, Isabel se sentía emocionada al estar haciendo algo que le habían prohibido, dejando de ser esa chica buena, como todos la definían. Solo le habló a Elisa de esos nuevos sentimientos encontrados: una calidez en su interior que antes no había sentido por nadie la estremecía. Alejandro también sentía lo mismo y empezaron a verse a escondidas.

Todo era muy emocionante para Isabel. Ajena a la realidad, veía su primera relación como en una novela romántica donde pasara lo que pasara todo iba a acabar bien.

Pero no fue así. En una noche tranquila, unos golpes en los cristales de la ventana despertaron a Isabel. Era Alejandro, llegaba desesperado y muy agitado porque le habían echado de su casa. Le explicó que su padre volvía a ponerse violento con su madre y él, por enésima vez, era testigo de ese tormento.

Fueron muchos años de humillaciones, de impotencia al ver cómo maltrataba a su madre. Incluso, cuando tuvo más edad, era él quien provocaba a su padre para que descargara su ira contra él y que su madre no sufriera daño. El viejo aprovechaba su complexión fuerte y su altura para infundir miedo a su esposa y a su hijo, pero todo acabó estallando.

Con los puños cerrados y lleno de ira, Alejandro atacó a su padre derribando, por fin, el miedo que constantemente sembró en él. Lo dejó en el suelo, magullado, y después ni siquiera recordaba cómo lo hizo. En respuesta, lo que recibió de su madre fue una bofetada y una oleada de insultos, defendiendo la idea de que su marido era lo que más quería y que cómo se había atrevido a hacerle daño. Acto seguido, lo echó definitivamente de su casa.

Alejandro, sorprendido y muy confundido, salió de esa casa sin saber qué hacer. Solo quería ver a Isabel y escuchar de sus labios si realmente había hecho mal al defender de esta forma a su madre. En ella encontró una respuesta muy diferente. Le abrazó con fuerza, haciéndole sentir querido, un sentimiento que solo ha encontrado a su lado.

Entre su desesperación, un rayo de esperanza cruzó en su mente, una salida que podría funcionar: iría en busca de su tío, el hermano de su padre. Lo había visto en pocas ocasiones porque nunca había habido buena relación entre los hermanos. No obstante, era la única familia que conocía y pensó que merecía la pena intentarlo.

Con el corazón destrozado por tener que decir adiós al único chico del cual se había enamorado y por toda la desagradable situación que tuvo que vivir, Isabel se despidió de él. Alejandro no quería irse, no sin antes obsequiarle con su primer beso y la promesa de que se volverían a encontrar.

Isabel creyó en sus firmes palabras, estaba convencida de que ésa no sería la última vez que se perdería en esos ojos marrón claro, pero el tiempo pasó sin tener ninguna noticia suya, a la vez que sus padres se peleaban más y en el aire, suspendida, estaba escrita la palabra «divorcio». Además, Elisa no estaba junto a ella. Esa soledad la condujo a una etapa diferente en su vida.

Su conducta cambió drásticamente. Contestaba de peor forma, con palabras que antes ni se atrevía a pronunciar, sus ropas de niña buena fueron sustituidas por otras más estrechas y que enseñaban más su cuerpo, todavía poco desarrollado. Igualmente cambió sus diademas por mechas de diversos colores y hasta planeó hacerse algún agujero en el cuerpo.

Años después, sumida en otra clase de dolor mucho más profundo, encontró una carta de Alejandro datada un mes después de su marcha, pero que nunca llegó a sus manos porque sus padres nunca quisieron esa clase de relación para su hija.

Hoy en día, Isabel todavía guarda con cariño esa carta escondida bajo un cajón debajo de su ropa. La verdad es que no quiere que Alejando sepa que aún la conserva. La ha leído tantas veces que sabe de memoria todo su contenido, cada parte de su estructura, las diferentes líneas que forman las letras escritas por él.

En ella mencionaba que la echaba mucho de menos, pero que acertó en ir en busca de su tío, un buen hombre que le dio un techo donde resguardarse, un plato caliente de comida y, más tarde, un trabajo en su taller de mecánica.

Sin embargo, la semilla del pasado plantada dentro de él no puede desaparecer por mucho que lo intente. Rechazado, humillado y golpeado por las dos únicas personas que, en teoría, tenían que dedicar sus esfuerzos para que se sintiera protegido y sobre todo querido, nunca podrá superar su trauma.

Por ese motivo, Isabel decidió ir en su búsqueda, porque es alguien que puede llegar a entenderla mejor incluso que sus padres. Porque está tan roto como ella.

Cuando lo encontró, le explicó lo que le había pasado y, sin necesidad de pedírselo, él le ofreció su hogar para quedarse y su hombro para llorar. Hay personas para las que este mundo solo es un lugar frío y oscuro, donde el horror que les ha tocado vivir eclipsa cualquier rayo de luz que pueda hacer desaparecer la oscuridad. Alejandro es esa luz para ella, pero, por desgracia, no brilla con la suficiente fuerza para poder ver un camino de esperanza en medio de toda esa oscuridad.

Isabel sale de la habitación cuando Alejandro está poniendo el último plato con tostadas en la mesa, al lado de la mantequilla y la mermelada de fresa. La pone cada mañana porque es la preferida de Isabel.

Hace más de un mes que vive con él; no obstante, los silencios incómodos siguen apareciendo con frecuencia. No terminan de acostumbrarse a su compañía. Aunque saben más que cualquier otra persona el uno del otro, hay un abismo de mentiras entre ellos dos que los separa; no podrán conectar completamente hasta que toda la verdad salga de una vez.

Solo se escuchan los vasos de zumo volviendo a chocar levemente con la mesa y el cuchillo raspando algunas zonas quemadas de las tostadas sin nada más que añadir.

Algunos de esos momentos dejan de ser tan incómodos al encender la televisión. Sin embargo, esta mañana se hacen compañía el uno al otro sin ella, mirándose en ocasiones y echando alguna que otra mirada por la ventana del comedor, que da a una solitaria pared de ladrillo.

Disimuladamente, Isabel se queda observándole, admirando todo lo que ha cambiado en este tiempo que han pasado separados el uno del otro. Los mechones enmarañados ya no están y pueden apreciarse los rasgos cuadrados que, con la barba de dos días, le da un aspecto más maduro, simulando una edad que aún no tiene. Tampoco tiene esa complexión desgarbada. En lugar de eso posee unos brazos y un tórax fuertes que oculta debajo de su mono de mecánico.

Sin embargo, todavía conserva un rasgo muy característico en él que, por muchos años que pasen, nunca podrá verse alterado: sus ojos. Esa mirada almendrada, llena de bondad, aun con todo lo que ha tenido que ver, es inconfundible incluso en medio de una multitud.

Decidida a romper ese silencio, Isabel finalmente dice:

—Aprovecharé la mañana para buscar trabajo, a ver si tengo mejor suerte hoy.

—Ya sabes que no tienes por qué hacerlo; no te pido nada a cambio —dice con su ronca voz por la mañana, suavizándola con una sonrisa sincera en su rostro.

—Lo sé. Solo quiero tener una ocupación para que mi mente esté distraída —le explica ella, dejando de mirarle para prestar atención al trozo de pan tostado que tiene en las manos llenas de mantequilla y mermelada de fresa.

Después de otro momento de silencio, ahora es Alejandro quien lo rompe comentando:

—A mediodía podrías pasar por el taller para ir a comer juntos.

—No —dice enseguida alzando un poco la voz, pero cerrando los ojos enseguida, arrepintiéndose de esa actitud.

—De acuerdo. No importa —responde Alejandro al ver su expresión de disgusto.

—No es que no quiera —apunta ella atropelladamente—. De verdad que me gustaría, pero…

—No te preocupes —interrumpe él antes de que Isabel pueda terminar la frase—. No me lo he tomado a mal, si es eso lo que crees. —Vuelve a sonreír mirándola a los ojos, para conceder más firmeza a sus palabras—. Si hoy no puedes, pues ya iremos otro día.

Isabel le devuelve la sonrisa un poco más tranquila. Suerte que la ha interrumpido, porque no sabía qué mentira decir para esconder la verdad.

Durante este tiempo ha puesto la excusa de buscar trabajo. No obstante, la realidad es muy distinta. Lo que realmente ha estado haciendo ha sido observar, analizar a esos monstruos. Estudiar sus vidas. Saber cuándo será el mejor momento para hacerles daño. Realmente ha sido más fácil encontrarlos de lo que pensó en un principio.

El motivo de venir aquí junto a Alejandro no estaba relacionado con la busca de consuelo, como le había hecho creer a él. Algo de verdad sí había en sus palabras, pero la verdadera razón se esconde detrás de un motivo mucho más oscuro y aterrador.

Y no puede decirle la realidad, no aguantaría ver una mirada de desprecio en esos ojos. No podría soportar perderlo a él también.

Capítulo 6. Manuel

Por primera vez en prácticamente toda su vida, Manuel se despierta después de que el sol haya hecho acto de presencia. Madrugar se había convertido en algo tan mecánico en la rutina de su día a día que en numerosas ocasiones se despertaba antes de que el molesto sonido del despertador atormentase sus oídos.

Tranquilamente, aparta las manos entrelazadas detrás de su cabeza y se toma su tiempo para desperezar todo su cuerpo. Por el suelo de ese cuarto pequeño y sucio se encuentran los restos de un reloj hecho pedazos, consecuencia de haberlo tirado con fuerza hacia la pared. Ya no lo va a necesitar nunca más.

Suspira con regocijo ante el perfecto cambio de los acontecimientos ocurridos hace apenas unos días. Gracias a eso podrá dejar atrás esa situación precaria en la que vive para abrazar otro estilo de vida muy diferente y, al mismo tiempo, muy ansiado.

Quién le iba a decir que la dulce perita que probó años atrás, ahora garantizaría su situación, gracias a la generosidad de un antiguo compañero de juegos suyo.

Rememora con regocijo el cambió de voz tan drástico de Raúl al comprobar quién había al otro lado del teléfono. Lo que hubiera dado por ver la cara de ese imbécil estirado.

Isabel espera y solo espera sin que ocurra nada de nada. Permanece junto a la esquina del barrio de San Cristóbal, uno de los barrios más pobres de la ciudad, con una peluca pelirroja y unas gafas de sol para ocultar su rostro lo mejor posible.

Lleva semanas observando a esos tres. Encontrarlos ha sido fácil, no fue complicado seguir las pistas de Roberto y Raúl, pues iban a la misma clase que Elisa.

Entonces aparece Manuel, que no ha tenido anteriormente ninguna clase de contacto con los otros dos antes de todo lo que pasó con Elisa. La única pista que tenía de él era la corta conversación que mantuvieron los tres mientras ella se estaba desangrando en el suelo.

Manuel trabajaba en la agencia de alquiler de casas. Los otros dos necesitaban unas llaves y a él le encantaron sus intenciones.

Eso ha sido lo fácil. Lo difícil es verlos otra vez, observar a los peores monstruos que se ha encontrado en su vida tan cerca y sentir tanta rabia e ira dentro. Isabel piensa que va a perder la cordura en cualquier momento al verlos continuar con su vida cotidiana sin ningún remordimiento cuando su propia hermana, la persona más dulce que nunca había conocido, no vive por culpa de ellos, porque querían divertirse.

Se lo ha dicho a sí misma infinidad de veces, pero se lo repite una vez más. Si el precio que tiene que pagar para que esos seres asquerosos desaparezcan de la faz de la tierra es convertirse en un monstruo, entonces pagará con gusto ese precio. Cualquier sacrificio es poco.

Mira otra vez el reloj que abraza su muñeca, son casi las doce y media. Es martes. A esta hora Manuel llega exhausto de haber descargado cajas en un almacén desde las cinco de la mañana, se queda una hora y media como máximo para luego volver a salir con los hombros hundidos y una expresión de amargura en su desgastado rostro.

De una cosa está segura: se encuentra en su casa, de eso no hay duda. Por la ventana ha visto varias veces durante semanas la misma silueta. No obstante, es desconcertante el motivo por este cambio de rutina. Le ha visto salir incluso enfermo, con la cara roja de fiebre.

Casi desiste, decidida ya a abandonar por hoy y dedicarse a pensar bien en su próximo movimiento cuando ve un Jaguar negro que llega a una velocidad por encima de lo estipulado.

Conoce ese coche, sabe quién hay dentro. Aprieta los puños con tanta fuerza que sus uñas traspasan su fina piel. El pequeño rastro de sangre viaja por el dorso de su mano antes de caer, definitivamente, al suelo.

Tiene que hacer un gran esfuerzo personal para no tirarse encima de él y dejar que la ira la domine. Pero tiene que controlarse. Tiene que conseguir llegar a su meta. Debe hacer que sufran como nunca podrían llegar a imaginarse que existía tal grado de dolor.

Recobrando un poco la sensatez, se da cuenta que algo no va bien. Se pregunta qué demonios está haciendo Raúl aquí.

Raúl baja precipitadamente del coche sin preocuparse de si está o no bien aparcado, camina petulantemente con sus ropas caras y la mirada envidiosa de la gente menos afortunada de este barrio echada encima de él. Seguidamente aprieta el pequeño mando en sus manos para cerrar su Jaguar, aunque no tiene muy claro si cuando regrese encontrará su coche de la misma forma que ahora, pero eso no es prioritario. El simple hecho de estar en este lugar de tan inferior categoría le provoca mucho asco.

La puerta del portal está abierta e ignora completamente a los dos adolescentes con los brazos llenos de tatuajes y el pelo de punta que no dejan de mover la cabeza al son de la música que están escuchando. No dejan de mirarle con muecas de disgusto hasta que Raúl queda lejos de su alcance visual.

Sube las escaleras de dos en dos dejando dos hileras atrás, pero aún queda otra que subir. Durante este proceso no faltan los gritos y los insultos de la gente dentro de sus casas.

Finalmente se detiene en el tercer piso, gira hacia la derecha para quedarse de pie delante de la puerta con una B, sin mirilla, y la golpea tres veces con el puño cerrado y con fuerza.

Le abre una versión bastante más desmejorada del Manuel que, solo una vez, fue compañero suyo de juegos. No es mucho mayor que él, pero ya tiene unas buenas entradas y el pelo pelirrojo se combina con algunas canas bien esparcidas. Esboza una sonrisa al mismo tiempo que masca la punta de un mondadientes.

Por si fuera poco, además, lo recibe con la ropa sucia, que una vez, hace tiempo, fue de color blanco, y ahora se encuentra llena de manchas de diversas sustancias.

Una expresión de asco se cruza en su rostro sin poder evitarlo y Manuel, en vez de sentirse ofendido, amplía su sonrisa.

—¡Cuánto tiempo sin verte! —expresa alegre todavía con ese palillo desgastado entre sus dientes—. Pero no te quedes ahí, hombre. Pasa, pasa… —dice golpeando su espalda, a lo que Raúl reacciona enseguida apartándose para que sus sucias pezuñas no ensucien su ropa.

—¿Vives en este cuchitril? No me extraña que parezcas un viejo —comenta Raúl sonriendo antes de fijarse bien en qué lugar están pisando sus zapatos de Armani.

Apenas cruza unos centímetros ya puede verlo todo desde esta posición: un cuchitril de mala muerte, sin duda. Apenas hay una televisión de tercera mano, una cama que parece que se va a derrumbar de un momento a otro y cubierta con una sábana azul revuelta y no muy limpia. Desde allí puede ver la cocina con el fregadero lleno de platos sucios y una puerta cerrada, a su izquierda, que intuye que es el baño, aunque tampoco piensa comprobarlo. Un olor desagradable preside el ambiente.

—No me ha ido tan bien como a ti o a ese que ahora es pasto para los gusanos —dice ya no tan contento por su último comentario después de escupir el mondadientes sin la más mínima importancia de dónde cae.

—Roberto —dice Raúl automáticamente, sin entusiasmo tampoco. Cuatro años en la Universidad junto a él y no hay el más mínimo vínculo que despierte su sensibilidad. Solo le veía por conveniencia. El idiota estaba tan desesperado por tener contacto con otro ser humano que no le importaba hacer todo lo que pedía como un perro fiel.

—Lo que sea. —Manuel va directamente hacia el pequeño y sucio frigorífico para sacar una botella de vidrio de cerveza y así sentir ese frescor que alivia sus callosas manos antes de mirar a su invitado, para luego tomar con tranquilidad un buen sorbo, primero amargo, hasta que te acostumbra.

—¿Quieres una?

—No —dice con sequedad.

Raúl no quiere sentarse en ningún lado y, aún menos, apoyarse en esas paredes o en cualquier superficie de este sucio lugar, así que se queda de pie apoyando su peso en la pierna izquierda.

—Suponía que dirías eso —comenta antes de volver a dar otro sorbo con una nueva tranquilidad y dejar escapar un sonido de gusto tan habitual para los bebedores de cerveza. Ello provoca que Raúl gire la cabeza, molesto, mientras Manuel apoya parte de su cuerpo en la nevera. Le contempla un par de segundos para luego decirle—: No debes estar muy cómodo por aquí, acostumbrado a otro estilo de vida, a uno al que pronto también podré pertenecer yo —dice alzando más la voz, cortando a Raúl y su próximo comentario.

—No estés tan seguro de ello —responde cambiando de peso a la otra pierna y cruzando sus brazos sobre su pecho.

—Claro que estoy seguro. —Da otro sorbo más sintiendo ese sabor que le encanta—. De lo contrario, ¿por qué habrías venido hasta aquí a no ser que te preocupa que abra la boca? —Su sonrisa aparece de nuevo.

Raúl, con una expresión muy seria y con una mirada fría, se acerca a él con lentitud mientras le dice pausadamente:

—No hace falta que te entregue dinero para asegurarme de que no dirás nada si estás dos metros bajo tierra.

Manuel, a medio trago de otro sorbo de su botella, se queda totalmente quieto. Ya había pensado que podría tener una reacción similar; no obstante, no pensó que podía afectarle. Ha visto de lo que es capaz pero nunca desde la otra parte.

Los ojos de Raúl le están mirando con una frialdad calculada que nunca había visto en otra persona y, pensando que se ha vuelto loco, asegura haber visto cómo una sombra de maldad cruza su rostro, aportándole un aspecto casi demoníaco.

Sin embargo, intenta permanecer sereno, pero no le resulta nada sencillo, le tiembla ligeramente la botella de cerveza, que deja encima de lo primero que ve, para que Raúl no se dé cuenta de cómo le está afectando en realidad. Finalmente, una chispa en su mente le recuerda que tiene un seguro bajo la manga y que puede utilizar en su beneficio. Con ese pensamiento sus agallas vuelven a aparecer.

—Yo que tú no lo haría. —Si bien tiene algo para asegurar su bienestar, lo cierto es que no puede evitar que esta última frase suene con una voz más débil e insegura que antes.

No le da tiempo a reaccionar. De un momento a otro deja de estar apoyado en su nevera para sentir una dura y fría pared en su dolorida espalda por el fuerte impacto contra ella, al mismo tiempo que nota una fuerte presión en su cuello que le impide coger todo el aire que su cuerpo necesita, con sus pies apenas apoyados en el suelo.

Raúl ha actuado con demasiada rapidez para darse cuenta ni siquiera de que se había movido.

—¿Qué me impide ahora apretar tu cuello viendo cómo mueres lentamente ante mis ojos? —murmura lo suficientemente alto para que Manuel lo escuche, mirándolo a los ojos, al mismo tiempo que aprieta los dientes realmente cabreado.

—Yo que tú no lo haría —repite un asustado Manuel intentando quitar las manos de Raúl de su cuello, pero cada acto es inútil. No puede con su fuerza.

—¿Por qué? —dice esbozando una sonrisa incrédula—. Espero por tu bien que tus próximas palabras tengan sentido porque me estás agotando la paciencia.

Y sigue apretando un poco más y sintiendo su nuez en las manos, a punto de partirla en dos en cualquier momento.

—Hay pruebas contra ti —consigue decir con un cansado y sufriente aliento. Acto seguido cae con todo su cuerpo, cogiendo el aire desesperado y tosiendo sin poder parar.

—¿Qué clase de pruebas?

Raúl espera unos largos minutos mientras Manuel, tirado en el suelo, hace verdaderos esfuerzos para volver a llenar de aire sus pulmones, maldice y tose en medio de cada bocanada.

Espera con una paciencia que tiene que rescatar de su interior para oír qué más tiene que decir.

—La… pulsera —intenta musitar mientras coge otra gran bocanada de aire—. Te acuerdas, ¿verdad? —Respira mejor, pero su voz se encuentra afectada por el esfuerzo.

Raúl se queda pensativo y vuelve a la posición de antes de atacarle, de pie con los brazos cruzados contra su pecho y apoyando el peso de su cuerpo en una pierna. Permanece con la misma mirada de frialdad en sus ojos fijos en él, preparado por si tiene que atacarle de nuevo.

Manuel, con la respiración todavía alterada, piensa que ahora es él quien tiene la posición ventajosa.

—¡Sabes de sobra a qué me refiero! —dice con prepotencia con la idea errónea de que tiene el control—. Esa pulsera que le arranqué para tener un recuerdo suyo, manchada con su sangre. Recuerdo muy bien que tú la tocaste; tiene tus huellas.

Raúl repasa mentalmente todo lo que Manuel acaba de decir. El aire está cargado de tensión. Raúl amenaza con explotar en un momento u otro, y lo hace, pero de una forma muy diferente de lo que espera Manuel.

En lugar de volver a atacarle, lo que hace es simplemente echarse a reír. No una risa normal cuando sientes una sensación alegre en tu interior y de los ojos salen lágrimas de alegría. De su interior emerge un sonido estridente y rudo que llega a poner los pelos de punta. Confundido ante esa reacción, no sabe qué hacer ni qué decir a continuación, hasta que Raúl se acerca un poco a él.

—Tu diminuto cerebro ha llegado a la conclusión de que tú también te expones a ir a la cárcel.

Al cabo de unos instantes, Manuel responde con una subida de hombros y una pequeña risa.

—Me da igual. No pierdo nada. En la cárcel viviré mejor que en esta miseria.

Otro amenazante silencio, donde solo se oye el son de las pisadas de Raúl avanzando un poco más hacía Manuel.

—No sabía que eras tan listo. Me has sorprendido...

Esas palabras surten efecto en Manuel, que recupera un poco de su confianza perdida. En el poco tiempo en que Raúl ha estado aquí, sus nervios han subido y bajado tanto como en una montaña rusa.

—¿Entonces vas a pagarme los 500 000 euros? —Quería que sonara como una afirmación, pero al final ha quedado como si fuera una pregunta suspendida en el aire, ya que no llega la respuesta.

—Mañana por la noche te traeré el dinero.

Es lo último que dice antes de abandonar ese lugar con un fuerte portazo.

A continuación, baja deprisa las escaleras y sale de ese portal todavía con esos adolescentes en la misma posición que antes. Por suerte para él, que no llega a creer lo que ven sus ojos, el coche permanece intacto. Se sube a él y se larga de allí de una vez.

¿Qué demonios ha estado pensando para hacerle caso a ese idiota y venir hasta aquí?

Durante unas largas e interminables horas verdaderamente estaba preocupado. Se daría una paliza a sí mismo por haberse sentido amenazado por ese imbécil. ¿Cómo ha podido perder los nervios teniendo solo esa tontería como protección?

Tendría que haberlo imaginado. Ya desde el primer momento en que lo tuvo delante, era evidente que no era una persona que sobresalía por sus ingeniosas ideas. Pero ha cometido un terrible error. Ha intentado chantajearle y eso tiene que pagarlo.

Que disfrute de estos momentos donde se siente seguro y piensa con convicción que va a salir por la puerta grande de este estercolero. Que siga pensando eso.

No tiene nada, no es una amenaza, pero es un cabo suelto y no conviene tener ninguno. Además, por otro lado, se lo merece por haberle puesto nervioso.

Esta noche piensa volver y acabar con todo ello de una vez por todas.

A Isabel le tiene inquieta este cambio de los acontecimientos, pues piensa que Manuel se está poniendo nervioso por la masiva información de los medios sobre el asesinato de Roberto.

Puede que le haya entrado miedo, y sus próximos pasos sean irse de allí, y eso no lo puede permitir. Si desaparece no podrá seguirle la pista ni sabrá adónde irá a esconderse. Tiene que actuar deprisa, no puede dejar que se vaya sin más. Tendrá que convertirse en esa otra persona otra vez en menos tiempo de lo que tenía planeado.

Llega el tiempo de ser fuerte y hacer lo que sea necesario para que los gritos de Elisa dejen de atormentarla, para poder sentir, por fin, ese tan deseado silencio que no es capaz de alcanzar.

Manuel recibirá una visita inesperada esa noche.

Capítulo 7. La última noche

Isabel ha estado caminando sin rumbo fijo por la calle, dejando que sus perturbadores pensamientos tomaran el control, pero al fin regresa a casa de Alejandro sobre las dos del mediodía.

Al subir el último peldaño de la escalera, pasa el dorso de su mano por su frente empapada de sudor. Este verano el calor es más fuerte, más de lo que ha sido en muchos años. El peso extra de su peluca y estar tanto rato bajo el sol candente ha hecho que termine llena de sudor de arriba abajo.

Gira la cerradura de gran tamaño, de apariencia típica de las casas viejas de los pueblos, espera al oír el fuerte clic, que indica que la puerta está abierta, para pasar al interior y sacar con algo de fuerza la llave, que últimamente se encalla un poco más que de costumbre. Después de cerciorarse de que la puerta está bien cerrada, oye una voz a sus espaldas que, aunque conocida, le produce un sobresalto.

—¿Qué llevas puesto? —La voz de Alejandro en un hogar que se esperaba en silencio provoca un vuelo en el corazón de Isabel. Aunque se trata de un comentario tranquilo, la altera igualmente.

—¿Yo…? Nada —contesta quitándose rápidamente la peluca y las gafas de sol. Después de emitir algunos sonidos sin sentido, finalmente puede formar una pregunta completa—: ¿Qué haces aquí a esta hora?

Alejandro mueve la cabeza de un lado a otro con mucha seriedad en su rostro, arrugando la frente y pasando su dedo índice y pulgar por el puente de su nariz, como si intentara contener una ira que lucha por salir.

Isabel empieza a preocuparse por ver por primera vez a Alejandro de esta forma. Detrás de esa ira puede apreciarse una expresión de decepción en su rostro, parece estar defraudado por algo o por alguien, y la está mirando a ella.

Ella percibe una sensación distinta en su interior: miedo. Un miedo distinto al que ha sentido hasta ahora. No ese acto reflejo cuando nuestro alrededor se altera y no podemos controlar lo que pasa. Se siente muy inquieta.

No quiere preguntárselo; no obstante, la incertidumbre de no saber lo que está ocurriendo es peor que saber la verdad.

—¿Pasa algo malo?

Alejandro no dice nada, solo tira al suelo cerca de ella el periódico donde se encuentra la noticia del asesinato de Roberto.

—¿Con todo lo que me has contado de verdad has creído que no ataría cabos? —El sonido de su voz se eleva por momentos.

Isabel cierra los ojos, soltando un suspiro de resignación. El momento que ha temido ha llegado. Está segura de que Alejandro piensa que ella no es nada más que un monstruo sin sentimientos.

—Lo siento mucho, Alejandro —dice con lágrimas que asoman por sus tristes ojos—. No quería que tuvieras este último recuerdo de mí. —Un sollozo involuntario sale de su garganta—. No te preocupes, recogeré mis cosas y desapareceré de tu vida.

Alejandro se ha mantenido quieto, sin emitir sonido alguno, incrédulo por lo que acaba de oír. Su expresión es una ventana abierta de sus sentimientos e Isabel cree, equivocadamente, que es por haber descubierto en lo que ella se ha convertido: en una asesina.

Pasa por su lado para entrar en la que ha sido su habitación durante un corto período de tiempo y en lugar de encontrar desdén de su parte, en lugar de eso, le sujeta el brazo, provocando que levante la mirada hacia la suya.

Su coronilla le llega a la altura de la nariz. Su mirada es intensa y, para sorpresa de Isabel, no encuentra reproches ni decepción en esos ojos almendrados que siempre le provocan un vuelco al corazón. Lo que halla es preocupación.

—No me importa lo que hayas hecho. Te entiendo mejor de lo que crees. —Su dulce voz hace que ese nudo en su interior, ese miedo de perder a Alejandro, se vaya deshaciendo poco a poco—. Lo que has hecho es muy peligroso. Si algo hubiera salido mal…, yo… ni siquiera puedo llegar a imaginarlo.

Isabel le mira con una mueca de confusión, esperando un siguiente comentario que aclare más su postura.

—Te he visto sufrir a cada instante, consumida en tu odio y tu rabia, sabiendo desde el primer momento las intenciones que tenías. Lo vi en tu mirada. —Inspira antes de continuar explicándole—: Te estás obsesionando con la idea de que, cuando acabes con los que mataron a Elisa y te destrozaron la vida, todo ese dolor desaparecerá. Sin embargo —dice ahora empleando un tono de voz más serio, mientras la mirada de Isabel sigue clavada en la suya, aunque de sus ojos empiezan a brotar lágrimas por todo el torbellino de emociones que están saliendo—, ¿has pensado que a lo mejor no es así?

—Tiene que serlo —responde Isabel alterándose con el último comentario de Alejandro, incapaz de aceptar esa posibilidad—. Todo acabará cuando ellos paguen por lo que hicieron. Lo sé.

—¿Y si no es así?

Isabel empieza a hartarse de esta conversación y se zafa de forma brusca de la mano que la sujeta.

—¡Deja de decir eso! —Su intención no es gritar, pero no puede remediarlo. Todo esto le crispa los nervios—. ¿Qué demonios te pasa? ¿Es que sientes compasión por esa escoria humana?

—¡Claro que no! —dice también alzando la voz. No puede creer que Isabel pueda llegar a pensar algo así—. No me importan ellos, ¡me importas tú! —exclama dejando este comentario suspendido en el tenso aire que hay entre los dos, dejando sin aliento a Isabel. Seguidamente continúa diciendo, inspirando un poco de aire—: Tengo miedo por ti, Isabel. Miedo de que esas muertes pesen sobre ti, tal vez ahora no, pero quizás sí más adelante. —Su voz se vuelve más ronca por la intensa preocupación que realmente siente por ella—. No podría soportar ver cómo te destruyes.

Ninguno se atreve a decir nada, los sentimientos fluyen entre los dos sin necesidad de emplear otra palabra más. En lugar de eso, sus cuerpos se van acercando poco a poco, anhelando lo que saben que va a venir a continuación.

Alejandro baja ligeramente la cabeza hacia Isabel, mientras que ella la sube. Pasados unos segundos, que han parecido una eternidad, sus labios finalmente se juntan deseosos de probar el sabor del otro en un sinfín de emociones encontradas y, al mismo tiempo, reprimidas.

Han estado juntos todo este tiempo sin atreverse a dar ningún paso por diversas razones. Alejandro porque no quería perturbar la tranquilidad de Isabel. Con todo lo que había sufrido no se atrevía a hacer nada que pudiera alterarla lo más mínimo. Isabel, por su parte, pensaba y sigue pensando que Alejandro se merece a alguien mejor, alguien que no esté rota.

En este momento ya no importa nada más. Sus ojos están cerrados disfrutando de este momento, las preocupaciones anteriores parecen desvanecerse como si solo fueran pequeñas moléculas de polvo que el viento se lleva lejos, fuera de su alcance.

A Isabel nunca la han besado de esta forma. El único beso que ha experimentado en el pasado fue un simple roce momentáneo entre labios. Nada tan íntimo ni intenso como ahora.

Isabel se acerca a Alejandro pasando los brazos alrededor del cuello para sentirle más cerca.

Alejandro lo intenta, pero no puede ser cuidadoso. El deseo que late en él es tan fuerte que solo puede apretarla para sentirla como nunca la ha sentido.

Están ansiosos por probar la carne del otro. No les basta con besarse; quieren sentir más, mucho más.

Alejandro hunde su cabeza en el hueco del cuello de Isabel, besando y mordisqueando suavemente.

Entretanto, Isabel tampoco se queda atrás y acaricia por todos lados a Alejandro, sintiendo bajo las yemas de sus manos su caliente piel, al mismo tiempo que entre sus dientes mantiene el lóbulo sensible de la oreja, excitándolo a cada leve mordisco.

Su pasión aumenta, Isabel rodea la cintura de Alejandro con sus piernas mientras que su apasionado compañero empieza a quitarle la ropa y la lleva al dormitorio, sin dejar de besarla ni un instante.

Sintiendo, lamiendo y oliendo la piel caliente del otro.

Isabel se levanta de su sueño reparador, sin creerse que durante este rato que ha estado dormida sus pesadillas no la han atacado. Por primera vez en años puede despertarse como cualquier otra persona normal.

Mira el pequeño reloj que tiene encima de su mesita de noche. Los números verdes y fosforescentes indican que son las 19:32. No puede creer que haya dormido tanto. Siente el peso del brazo de Alejandro rodeándola y se gira con lentitud. Sabe que está dormido antes de girarse, ya que siente su respiración pausada provocando leves cosquillas en su nunca, pero quiere mirarlo. Se toma su tiempo para observar cada mínimo detalle de su rostro, ahora plácido, sumido en un dulce sueño.

Hubo un instante, por muy efímero que fuera, en el que se sintió libre. Su mente dejó de atormentarla tan intensamente.

Ese estallido de felicidad ha sido eclipsado por la parte oscura latente dentro de ella; esos brazos fuertes ya no sirven para rodearla y protegerla. Nunca podrá sentir verdadera paz hasta que no termine con lo que ha comenzado. Es muy consciente de ello y no piensa arrastrar a Alejandro con ella. No puede estar a su lado, no al menos hasta que todo esté concluido.

Con mucha delicadeza y lentitud intenta deshacerse de su abrazo sin perturbar su sueño. Con el vello de punta recoge su ropa esparcida por el suelo. Por suerte, consigue correr la puerta con el mínimo ruido y abrir el pequeño armario que está empotrado para sacar su mochila azul oscura sin despertarlo.

Tiene que irse. Es mejor así.

Como último capricho concedido a ella misma, se gira solo un momento más para admirarle. Le gustaría decirle lo especial que siempre ha sido para ella.

Los remordimientos la están atacando por huir de esta forma. No quiere imaginar su tristeza al comprobar, cuando se despierte, que en lugar de a ella Alejandro se encuentre un espacio vacío y frío. Tiene que dejarle un mensaje, por breve que sea.

Isabel, agarrando con una mano la mochila y con la otra el pomo de la puerta, deja escapar un suspiro de pena por dejar este lugar sin saber si podrá volver después de lo que tiene planeado llevar a cabo.

Al menos le ha dejado un pequeño trozo de papel arrancado con unas palabras escritas que, espera, lo reconforten, aunque solo sea un breve instante.

Mi mayor deseo es que nuestros destinos hubieran sido diferentes.
Espero volver y empezar un nuevo camino a tu lado.

Sabe que lo que va a hacer es muy peligroso, que por muy bien que tenga todo planeado siempre existe la posibilidad de que le sorprendan circunstancias que no pueda controlar. Pese a que eso suceda, tendrá el hermoso recuerdo de lo que ha compartido con Alejandro. Eso es algo que nada ni nadie podrá arrebatárselo jamás.

Ha tenido que esperar con impaciencia a que la oscuridad de la noche haya aparecido y que las calles se fueran vaciando para actuar. Lleva ropa de color oscura, la cabeza agachada, y una barra de hierro escondida en un costado; la aprieta y siente su duro y frío tacto.

Manuel, ajeno a lo que le viene encima, se encuentra tirado en su cama con una bolsa de ganchitos en la mano, riendo sin parar con la boca llena de una pasta amarilla y derramando saliva por la comisura de los labios. Sin embargo, unos golpes fuertes e insistentes en su puerta le obligan a arrastrar sus cansados pies para comprobar, cabreado, quién le molesta a estas horas de la noche.

Se limpia la boca con el dorso de su mano, al mismo tiempo que da unos pocos pasos hacia la puerta.

Realmente está sorprendido de lo que se ha encontrado al otro lado, totalmente desconcertado al ver una figura femenina en medio de toda esa oscuridad. Solo el reflejo de la luz de su televisor aporta algo de claridad en ese opaco lugar.

Antes de que pueda formular ninguna pregunta coherente, Isabel se apresura a darle un buen empujón, aprovechando su desconcierto, para cerrar la puerta con rapidez.

—Pero ¿qué coño…?

Manuel no puede terminar la frase porque recibe un fuerte golpe en la cabeza que le abre una brecha. A continuación, unas gotas de sangre se derraman en esa sucia ropa donde ahora predomina un color rojo intenso y espeso. Antes de caer con todo su cuerpo contra el suelo y quedar sin conocimiento, escucha el ruido seco de esa barra de hierro al golpear su cráneo.

Isabel intenta levantar los setenta y cinco u ochenta kilos que debe pesar Manuel como puede para atarlo a una silla, al mismo tiempo que las palabras de Alejandro dan vueltas a su alrededor atormentándola.

Puede que tenga razón, que todo esto, todo lo que está haciendo finalmente acabe por hundirla al sentir la sangre del odio en sus manos sin posibilidad de hacer que desaparezca.

Pero eso no importa. Hicieron algo horrible y nadie les castigó por ello. Es ella quien tiene que impartir justicia en un mundo sin su hermana y ofrecer a esos seres el final que tanto se merecen; aunque eso conlleve que se adentre en una espiral de culpabilidad y dolor que la atormente para el resto de su vida.

Nada la detendrá.

Elisa ha pasado al olvido para ellos, pero Isabel se encargará de que lo último que piensen cuando acabe con sus patéticas vidas sea el nombre de la hermana que le arrebataron.

Capítulo 8. Sorpresa en la noche

Isabel tenía miedo antes de venir aquí. Fue un paseo aterrador por la calle que la conducía a un destino confuso. Aunque anhele este momento, cruzar la línea nunca es fácil.

Por suerte, en las ocasiones de duda, la oscuridad dentro de ella le hierve la sangre con el veneno del odio, recuperando así las fuerzas necesarias para lograr su objetivo.

El cuerpo de Manuel se convulsiona durante un instante al sentir un fuerte dolor en su cabeza que lo golpea sin piedad.

Al ver que empieza a despertarse, Isabel se apresura a quitar la zapatilla verde llena de pelusa de Manuel para arrebatarle el maloliente calcetín y hacer una bola con él para, acto seguido, introducírselo en la boca un segundo antes de que finalmente despierte.

Manuel, despistado por unos instantes, intenta moverse, pero los brazos atados detrás de la silla se lo impiden. Intenta hablar, pero su propio y sudado calcetín no se lo permite, mueve la cabeza de mala manera e intenta escupir el calcetín, pero Isabel se adelanta a su propósito para poner su mano encima de su boca, imposibilitando que nada escape.

No se da por vencido y sigue en su intento, moviéndose de forma violenta levantando, a cada frenético movimiento, las partes delanteras y luego las traseras de la silla en la que está prisionero, con el sonido de su voz atrapada de fondo.

Para evitar que siga con ese ataque de rabia Isabel, de un golpe, se sienta en su regazo con los brazos y las piernas abrazando la parte de atrás de la silla, con su mirada directa a los ojos brillantes de duda de Manuel.

Al cabo de un largo silencio en esta posición, la voz de Isabel resuena en ese pequeño lugar.

—Mírame a los ojos y dime —espeta con una voz y una expresión muy fría— si recuerdas quién soy.

Isabel pone la mano en el bolsillo de su chaqueta y, con suma lentitud, extrae algo pequeño de color metálico. Manuel descubre lo que es cuando Isabel, con su dedo pulgar, lo acciona y una llama aparece en ese oscuro lugar, cerca de sus rostros, apenas separados por unos centímetros. La llama baila sobre los rasgos de esa persona que tiene delante de él y la mira con fijación.

Manuel no es un hombre listo y tampoco sintió ninguna preocupación por él cuando supo la noticia del asesinato Roberto y que en su cuerpo apareció grabado el nombre de Elisa. Solo lo vio como una oportunidad para él; no pensó que podría salir dañado en el camino. Aunque le cuesta atar cabos, finalmente parece que ha encontrado la respuesta, porque sus ojos se agrandan y una expresión de sorpresa aparece en ellos.

Isabel le muestra la misma sonrisa macabra que años atrás vio aparecer en el rostro de Manuel. Ahora se la enseña a la persona que tiene atrapada e indefensa para que sienta lo que una vez ella sintió. Con ello declama que algo horrible está a punto de pasarle.

—Ahora empiezas a entender, ¿eh? —dice con un sonrisa mientras con la llama aún viva le pasa el mechero con lentitud por su mentón, originando que Manuel dé un vuelco del dolor mientras un grito se queda ahogado en su garganta, impregnando el pequeño espacio de un olor a pelos quemados de su mal afeitada barba.

Al ver así a Manuel, ese gran placer que ya ha sentido antes con Roberto vuelve a nublarle la visión y a hacer que ser recree en lo glorioso de esta sensación. No puede evitar que se escape una sonrisa fría que deja a Manuel con diversas sensaciones luchando en su interior.

El miedo del principio se desvanece, no quiere reconocer que una mujer, un ser inferior a él, pueda llegar a tener el control de la situación. Una ira que crece sin control sustituye el posible miedo que pueda sentir, dejando de lado el punzante dolor que siente en su carne bajo la mandíbula. Su ceño cambia de expresión, se arruga mostrando lo que siente en este momento. Está muy cabreado y para demostrarlo vuelve a agitarse con fuerza.

Por su parte, Isabel no parece sentirse intimidada en absoluto, ningún atisbo de miedo se cruza en su rostro, todavía expresando la misma expresión fría. Simplemente se queda allí quieta, mirando a Manuel sin cesar con la llama todavía viva en sus manos, calculando su próximo movimiento.

Manuel balbucea palabras perdidas sin cesar e Isabel accede al final a quitarle ese maltrecho calcetín de la boca diciendo:

—A ver qué es eso que te mueres por decirme.

Ese desagradable sabor casi consigue ahogarle, pero mantiene la fuerza necesaria para exclamarle, poniendo énfasis en la última palabra:

—¡Suéltame ahora mismo o te juro que te rajo!

En lugar de sentir temor con sus palabras, como espera Manuel, Isabel se mantiene como antes, crispando así más la rabia de Manuel.

—¡Qué maleducado! —suelta antes de acercar más el encendedor a su cara para que sienta el amenazante roce de calor, cosa que provoca que Manuel se aleje en un movimiento brusco—. Tendría que tener más cuidado con esos modales —dice después de un largo silencio sin dejar de mirar a Manuel.

—Una mujer no me va a decir lo que tengo que hacer —arremete al final con una expresión de asco—. No tengo miedo de una zorra como tú.

Antes de que pueda decir algo más, Isabel invade el pequeño espacio caliente y húmedo en la boca de Manuel y coge su lengua, sintiendo una gran viscosidad entre sus dedos.

—Voy a tener que enseñarte por las malas —asevera con suma tranquilidad antes de que llegue la tempestad.

Acerca poco a poco la llama de fuego amenazante hacia el sensible trozo de carne que tiene en las manos, viendo con satisfacción una reacción de miedo antes siquiera de notar ninguna sensación de dolor.

Mueve la cabeza de lado a lado intentando deshacerse de su contacto; sin embargo, es inútil. Aunque el contacto es viscoso, lo sujeta con fuerza, sintiendo estallar algo dentro de su lengua.

Parece intentar balbucear un «no», pero es demasiado tarde y pone la llama debajo de la lengua, quemando toda la carne que encuentra a su alrededor.

Su cuerpo se agita con brusquedad, y su grito queda ahogado otra vez por el calcetín que Isabel vuelve a poner en su boca mientras lo mira fijamente y con gran satisfacción al comprobar que gruesas lágrimas escapan de sus ojos.

Isabel le quita el calcetín de nuevo esperando que la respiración realmente agitada de Manuel se relaje un poco para continuar exclamándole:

—¡Dímelo ahora! —Manuel alza la mirada hacia Isabel con un reflejo de rabia todavía en sus ojos—. Dime que lo sientes.

Durante un silencio que parece eterno, Isabel espera escuchar súplicas, aunque sabe que no servirán de nada, pero quiere escucharlas. No obstante, su deseo no se ve cumplido porque Manuel, en lugar de derrumbarse, vuelve a la carga con una sonrisa que le ayuda a aguantar el extremo dolor que siente, para así impedir darle esa satisfacción a esa mujer que le mira con un gran desprecio.

—No me arrepiento de nada —dice, e instantes después cierra los ojos soportando el intenso dolor para decir una cosa más—. Volvería a hacerlo. —No puede decir nada más, el dolor es atroz y siente que la carne quemada se estría, le destroza, pero ha valido la pena, por ver cómo ha molestado enormemente a una inútil mujer.

La mirada de desprecio de Isabel se convierte en una sombra oscura por la rabia y el odio. Es el fuego que necesitaba para encender la mecha que roza un delicado estado entre la locura y el tormento. Si eso es lo que quiere, entonces va a tenerlo, va a conseguir que sufra de una manera que nunca podría haber imaginado.

—Vas a suplicar que te deje morir —le susurra viendo que un atisbo de miedo cruza sus desafiantes ojos.

De nuevo utiliza ese trozo de tela maltrecho para evitar escuchar otra desagradable palabra por parte de él y, acto seguido, se levanta de su regazo y busca algo especial que tiene en su mochila, perfecto para esta ocasión: unas tijeras de podar con sus hojas cortantes muy bien afiladas.

Al verlo, la sonrisa de Manuel se desvanece en la oscuridad de la habitación, sintiendo más miedo de lo que está dispuesto a reconocer. Tiene que pensar en algo para salir de esta situación. Podría gritar para pedir ayuda, pero su ego masculino le impide hacerlo. Pedir auxilio porque una mujer la ha atado es humillante para él.

Además, no serviría de nada. En una zona como ésta se oyen gritos noche sí y noche también. Ya nadie hace caso de nada, y menos van a implicarse en la pelea de otros si ellos ya tienen que vérselas con sus propios demonios a diario.

Y aunque no fuera así, prefiere morir antes que mostrar algún signo de debilidad delante de una mujer: esa figura femenina cubierta por la oscuridad de la noche, en la que se reflejan dos largas hojas metálicas que se abren y cierran con un sonido metálico amenazante y aterrador.

Lo que vino a continuación fue algo lento, tormentoso y desgarrador. El cuerpo de Manuel se convirtió en una masa palpitante de dolor. Lo que ocurrió en esa habitación es tan horrible que solo volver a pensar en ello causaría estragos en la mente de cualquiera.

Las sucias paredes se mancharon de sangre, los gritos de dolor quedaron silenciados y ella sintió esa sensación que consigue recorrer cada centímetro de su cuerpo con delirio.

Capítulo 9. Todo termina donde empezó

Raúl se ha ocupado de conseguir una buena coartada por si acaso. Su dulce esposa le tiene tanto miedo que no titubeará ni un segundo para respaldar sus palabras.

Aparca a una distancia prudencial con un coche muy inferior a su nivel de adquisición. Tiene que tomar todas las precauciones posibles. Le va a demostrar a ese patético intento de ser humano que con él nadie se mete y, mucho menos, es capaz de amenazarle.

Va a romperle el cuello con sus propias manos. Se las retuerce con ansias, a la espera de que llegue ese momento, quiere ver cómo su cuerpo se va quedando sin aire cuando su vida se vaya escapando poco a poco sin poder evitarlo.

Isabel se lava las manos en el baño sin encender la luz, dejando que el agua fría desvanezca el calor de una sangre todavía caliente.

No quiere ver su reflejo en el espejo. Cada vez que se mira se encuentra más desmejorada. El reflejo que le devuelve la mirada parece más alejado de su versión de ella a cada momento. Su rostro palidece por culpa de la desesperación y lo ocurrido años atrás. Todo ello la sigue persiguiendo con insistencia, sin dejarla respirar ni un instante.

Solo ha sentido un poco de paz consigo misma cuando acabó con la vida de Roberto. En ese momento pudo sentir una tranquilidad casi extinta, aunque solo fue por un efímero instante, pero en su interior supo que hacía lo correcto, como ahora. Sus manos están manchadas, pero su alma no siente pesadez por lo ocurrido; al contrario, siente que no está fallando a Elisa por segunda vez.

Entonces, ¿por qué una parte de ella se siente tan diferente respecto a la otra vez?

La imagen de Alejandro aparece en su mente. Hace tanto tiempo que no siente que tiene a alguien especial y querido a su lado; ese sentimiento que regresa es prácticamente nuevo para ella. Sentir su calidez, sus brazos rodeándola para protegerla del mundo, es una experiencia que merece ser repetida.

Pero todavía no es posible, no puede entregar su corazón a alguien cuando aún está manchado por el odio. Debe descargar su venganza para tener, al fin, una existencia normal.

Con esos pensamientos dando vueltas en su cabeza no oye que alguien está intentando forzar la cerradura para entrar. Isabel se da cuenta de la situación y de este inesperado acontecimiento cuando la puerta chirría al abrirse.

Lo primero que hace es esconder su cuerpo en la parte más oscura, al mismo tiempo que intenta calmar los latidos apresurados de su corazón.

¿Quién demonios puede ser?

Raúl entra en ese estercolero e intenta aguantar las náuseas y el asco que le recome por dentro por segunda vez. Solo al abrir la puerta, un fuerte hedor le inunda las fosas nasales. Con rapidez se tapa la boca y la nariz con la mano para soportarlo y, así, poder seguir adelante.

Únicamente el reflejo de la televisión en nieve da un poco de luz en toda esta lobreguez. Una luz que va directa a algo totalmente inesperado para Raúl, al rostro desencajado e inerte de Manuel.

A continuación, y sin darse cuenta, pisa un charco de sangre. Los destellos de luz le dan un aspecto más macabro de lo que realmente es, pero aun así, esta visión es espantosa. Reflejos metálicos provienen de una parte concreta de su cuerpo. No tarda en comprobar que tiene algo profundamente clavado en su masculinidad.

La visión es grotesca y el olor a sangre, palpable.

La primera reacción de Raúl es de sorpresa, la segunda, de cólera por negarle a él el regocijo de acabar con ese maldito individuo, por no poder sentir en sus manos el poder de controlar la vida de un ser humano, de ser él quien decide si esa persona muere o no y de ver, con gran placer, cómo esa vida se va apagando.

Su mente no tarda en llegar a la conclusión de que lo sucedido es muy reciente y que, con toda seguridad, la persona responsable de este acto todavía está aquí.

Su cuerpo se queda quieto, sin ni siquiera hacer ruido al respirar mientras su vista va de un lugar a otro, ahora ya más acostumbrada a la oscuridad. Se mantiene alerta para encontrar cualquier sonido procedente de otra persona. Al mismo tiempo, su rostro muestra una sonrisa macabra. Al parecer, la noche va a resultar más interesante de lo que pensó en un principio.

Isabel no sabe qué hacer. Alguien ha entrado, eso es innegable. Ha oído sus pasos y su respiración a través de la puerta, pero de repente, no ha escuchado ningún otro sonido más. Es como si esa persona se hubiera esfumado de la nada.

Se pregunta qué está pasando, a la vez que no sabe qué hacer ni cómo proceder a continuación. ¿Quién podrá ser? Tiene que mantener la calma. No puede permitir que el control se escape de sus manos, ahora no, cuando ya está tan cerca del final de su camino.

«Vale. Vale. Piensa»

En este período de tiempo que ha estado observando los movimientos de Manuel, ni una vez vino nadie a verle, ni un amigo, ni una mujer. Sin embargo, eso no descarta esa opción.

Ha sido una estúpida. Tenía que haberlo planeado mejor, como hizo con Roberto, para impedir que ocurriera cualquier contrariedad.

Pero no lo ha podido evitar. Ha sido ver que Raúl y Manuel se reunían para que toda su sensatez se perdiera y... ¡Un momento! Sí, quién está en este mismo lugar no es otro que él, la peor persona y la más sádica que nunca se ha encontrado.

No. Raúl no. No está preparada para enfrentarse a una bestia como esa. No puede ser verdad.

Con todos esos pensamientos que ocupan por completo su cabeza, no se da cuenta de que su respiración se vuelve más agitada a cada bocanada de aire por ese miedo que insiste en desestabilizarla. Se siente otra vez como aquella niña asustada que no supo defenderse. No puede volver a vivir un infierno como aquél.

Isabel apenas se da cuenta de que una sombra se le acerca, acechando en la oscuridad, hasta que es demasiado tarde para reaccionar.

En un instante, una fuerza ajena le coge el brazo para ponerlo en su espalda, presiona con fuerza para provocar dolor, al mismo tiempo que siente un torso detrás de ella y otra mano en su cuello que amenaza con asfixiarla si se atreve a realizar algún movimiento.

Raúl no tarda en descubrir que el cuerpo que tiene entre sus manos pertenece al sexo femenino, siente el tacto de su suave piel y el movimiento de sus curvas. No puede evitar tocar esas curvas deliciosas que ahora están tan cerca de él. Sus instintos básicos lo golpean con fuerza, recordándole sobremanera a esa chica llamada Elisa que en estos días ha tenido muy presente. Su cuerpo era simplemente perfecto, hecho para la tentación.

La coronilla de ella le llega justo a su nariz, inspira su fragancia de forma ruidosa. Isabel respira con agitación y reprime unas intensas arcadas.

—¡Vaya, vaya! Mira lo que tenemos aquí... —dice muy cerca de su oído, echando el aliento caliente en su mejilla.

Seguidamente aprieta un poco su pequeño cuello e Isabel responde con un ligero temblor de miedo.

A Raúl no le pasa desapercibido y sonríe con placer por ello, como cuando provoca miedo a su esposa o a cualquier mujer; pero por alguna razón el miedo y el cuerpo de Isabel ocasionan un anhelo mayor del que ha experimentado en mucho tiempo.

Ella nota una sensación viscosa en su cuello, ha sacado su asquerosa lengua para pasarla encima de ella y sentir su sabor. Isabel siente mucho asco y, en lugar de pelear, queda paralizada. Vuelve a sentir esa horrible sensación que impide ningún movimiento. Su miedo, por desgracia, ha tomado el control.

Sin aguantar más la tentación, Raúl la gira con brusquedad y la acerca al único destello de luz que hay en estas cuatro paredes. La chica le mira con miedo mientras él admira su rostro joven y angelical.

«Pero si es una cría», piensa con mofa.

—Así que tú eres la cosita que ha originado todo esto —dice mostrando incredulidad, al mismo tiempo que su dentadura blanca resplandece. No puede creer que una chiquilla lo haya logrado, aunque en el fondo piensa que tampoco era demasiado difícil embaucar a idiotas como Roberto y Manuel—. ¿Quién eres? —pregunta antes de coger un buen mechón de sus ondulados cabellos color azabache para sentir su sedoso tacto y apretar para hacerle daño—. ¿Qué tienes que ver tú en todo esto? —Al fin podrá averiguar unas cuantas respuestas, pero no pensó que la forma de conseguirlas sería tan excitante.

Al ver que de ella no sale respuesta alguna, aprieta y estira el mechón con más fuerza. Isabel deja escapar un gemido de dolor, pero de sus labios no sale nada más, solo le mira todavía con una tela de miedo reflejada en los ojos.

—Mira, ricura, si tengo que sacarte la información por las malas, no dudes que lo haré.

«Hacerlo por las malas». Esta frase se repite una y otra vez en la mente de Isabel y la lleva a recuerdos muy crueles. Es lo mismo que dijo a Elisa antes de empezar con aquel infierno. Su miedo va desapareciendo para ser reemplazado por la ira, la misma que ha sentido todos estos años. Todo ello vuelve, chocando con su debilidad y venciéndola.

El miedo está perdiendo el control, y la rabia empieza a apoderarse de ella. A continuación, la expresión de pánico se borra de la cara de Isabel y Raúl se da cuenta de la situación demasiado tarde, cuando la indefensa chica encuentra sus agallas y le da un fuerte golpe con la rodilla entre las piernas.

Un grito de dolor sale del interior de Raúl, afloja la mano con la que la tiene cautiva e Isabel aprovecha ese momento para empujarlo y así salir corriendo.

No obstante, Raúl es más rápido y le agarra una pierna, haciéndola tambalear y finalmente, caer al suelo.

Raúl aprovecha cada instante, se coloca precipitadamente encima y atrapa las piernas de Isabel, usando la fuerza de sus propias piernas y levantando con una sola mano los dos brazos de la chica por encima de la cabeza, mientras con la otra atrapa su boca para que no grite.

Isabel no se da por vencida y empieza a hacer movimientos violentos para intentar zafarse. Lo trata con todas sus fuerzas, pero cualquier intento resulta inútil.

—No puedes ser ella. ¡La maté! Vi como Elisa moría con mis propios ojos, así que dime de una vez ¡quién coño eres! —exclama intentando sujetar a esa chica que no para de removerse.

Al no percibir ningún esfuerzo en ella por calmarse, coge otra vez un mechón de su cabello bien amarrado desde la raíz para golpear su cabeza contra el suelo en un seco movimiento, dejando así a la chica atontada.

La voz de Raúl vuelve a sonar, pero esta vez Isabel la percibe distorsionada, sin entender algunos fonemas mientras que otros se alargan con estridencia. El hombre aprovecha estos momentos en que la fiera está calmada para acariciar su rostro con la punta de su dedo. Sus yemas perciben una suavidad que pocas veces ha conocido al pasar sus dedos por sus delicados rasgos, para terminar acariciando unos labios que no ha podido apreciar a simple vista. Por eso utiliza el sentido del tacto, para explorar bien esa zona.

La yema de su dedo índice repasa la forma de sus labios y la calidez de su boca. No aguanta más la tentación e introduce su dedo dentro, como una artimaña más para conseguir que su excitación aumente. Isabel aprovecha ese preciso instante para morderle con todas sus fuerzas.

Un grito de dolor inunda la habitación.

—¡Maldita puta! —Es lo que alcanza a decir Raúl al poder extraer, por fin, su dedo de la boca de Isabel. Acto seguido, le proporciona una buena bofetada, que hace que el rostro de Isabel se aparte del impacto y deje su mejilla dolorida.

—Soy su hermana —explica en un susurro después de unos instantes respirando con agitación.

Raúl se encuentra prácticamente sentado encima de ella, con las rodillas en el suelo. Se queda pensativo. Durante un momento intenta recordar, luego alza la cabeza un par de centímetros como respuesta. Ya sabe a qué se refiere.

—¿Esa pequeña mocosa? —pregunta con una mueca divertida en su rostro—. Creí que habías muerto.

—Puedes comprobar que no —contesta con una voz muy fría, sin moverse.

Isabel todavía se encuentra mareada, pero intenta pensar en cómo proceder a continuación. Ahora mismo cuenta con cierta ventaja, ya que por un descuido de Raúl no tiene los brazos prisioneros, pero cualquier movimiento en falso puede alterar de mala manera la situación. Su mente es un torbellino de ideas sin conclusión.

Al cabo de poco, una expresión sombría aparece de nuevo en el rostro de Raúl. «Así que esta cría se ha dedicado a cobrar su venganza», piensa con mofa, incluso encuentra esa idea divertida. «Hasta tendría que darle las gracias por deshacerse de dos lastres como Roberto y Manuel. Y ahora se ha puesto aquí, a punto de caramelo».

Su lengua pasa lascivamente por los labios con solo imaginar todo lo que podrá disfrutar con ella. Pero para eso, mejor ir a otro lugar, que seguro que le encantará.

—Tengo algo especial para ti.

Isabel frunce el ceño extrañada por estas palabras, pero antes de que pueda siquiera pasar un pensamiento por su mente, Raúl, por segunda vez, golpea la cabeza de Isabel contra el suelo ahora con más fuerza, dejándola inconsciente.

Al cabo de un buen rato, Isabel, finalmente, despierta de su pesadilla para encontrarse con otra todavía peor. Siente que su cabeza está a punto de estallar. El dolor es persistente y no quiere abandonarla. Ni siquiera tiene fuerza para abrir los ojos.

Con un gruñido de dolor intenta recordar lo sucedido con anterioridad.

Manuel.

Sangre.

Raúl.

¡Raúl!

Ese nombre la altera extremadamente, quiere moverse pero no puede. Ahora es ella quien nota una cuerda que rodea con brusquedad sus muñecas atadas al respaldo de una silla.

«¡Mierda!».

Con los ojos cerrados intenta percibir por el oído cualquier signo de que Raúl se encuentra cerca de ella. El intenso dolor persiste, pero no puede tolerar que sea una distracción. Sin embargo sigue sin escuchar nada, así que toma la decisión de abrir los ojos con lentitud. Al principio las figuras están algo borrosas, pero poco a poco puede visualizar unos muebles de aspecto antiguo junto a una lámpara de pared y una simple chimenea con fuego vivo dentro que lo ilumina todo a su paso, junto a una decorada pared de piedra.

Un escalofrío recorre cada nervio sensitivo de su sistema. Este lugar resulta demasiado conocido para ella.

«¡Oh, no! ¡Por favor! ¡Aquí no!», grita en su interior por la angustia y la desesperación.

Todo en el aspecto de la habitación está intacto.

¡Cómo olvidarlo! Regresa a esta misma habitación cada noche en sus pesadillas. Estas paredes fueron testigos de la peor tragedia que le obligaron a vivir.

Ha vuelto donde todo empezó.

—Por fin despiertas —dice detrás de ella una voz terriblemente conocida y, al mismo tiempo, temida. Le provoca un sobresalto.

Siente la presión de las manos de Raúl sobre sus hombros, no intenta hacerle daño, de momento solo la está acariciando y eso le provoca más repugnancia que cualquier otra cosa. Mueve los hombros con fuerza para deshacerse de sus caricias, sin embargo solo origina una seca risa por parte de él.

—Eres tan arisca como tu hermanita.

—¡No te atrevas a hablar de ella! —amenaza moviéndose violentamente y haciendo tambalear la silla.

Raúl en ningún momento se siente intimidado, solo camina con lentitud mientras se toma su tiempo observando a esa gatita furiosa. El silencio del lugar solo se rompe con el sonido de sus zapatos al chocar contra el suelo. Observa a Isabel en cada paso con una expresión divertida en su macabro rostro.

—¿Por qué te lo estoy contando si tú misma lo viste? ¿No te acuerdas?

De la garganta de Isabel se escapa un grito desgarrador. Su mirada se enciende con las llamas de la rabia y el odio mientras sus manos se retuercen frenéticamente entre las cuerdas.

Tiene que salir de esta situación. ¡Tiene que hacerlo lo antes posible! Sabe con seguridad lo que es capaz de hacer este hombre. Debe encontrar una escapatoria con la mayor rapidez posible.

Mientras Isabel está enfrascada en sus propios pensamientos, Raúl, por su parte, también lo está en los suyos. Ya ha pensado más de algún acto que realizarle a la chica. Lo primero que quiere que sienta es el más puro y frágil dolor que una persona es capaz de sentir: que suplique por su vida, que diga, derrotada, que haría cualquier cosa a cambio de no sentir ese dolor.

Y entonces, el dulce néctar de la satisfacción. Convertirá a la fiera en una gatita sumisa.

Isabel quiere ser fuerte, lo desea más que nada, quiere que la valentía salga de su interior para poder luchar, pero no puede. Lágrimas de desesperación y miedo escapan sin control de sus ojos. Pequeñas gotas que bajan lentamente por el contorno de su piel admitiendo su derrota.

Aparta la mirada e intenta que su cabello tape la mayor parte posible de su cara. No quiere concederle la satisfacción de ver cómo le afecta. No obstante él se ha dado cuenta, en la mitad del silencio regresa su risa fría para atormentar a Isabel. Se acerca a ella y se agacha poniendo una rodilla en el suelo para estar al mismo nivel de los ojos de la chica, y con su dedo acaricia su mentón, pero Isabel se aleja enseguida.

Raúl acerca más su rostro hasta que se encuentra a pocos centímetros de distancia de Isabel para decirle con una voz muy calmada y segura de sí mismo:

—Me voy a divertir mucho contigo.

Acabar de esta manera era muy probable: en las manos de uno de esos desgraciados. No obstante, ha tenido la fuerza necesaria para llegar hasta aquí, un logro que haría que su hermana se sintiera orgullosa de ella; de haber ocurrido al contrario, Elisa habría actuado del mismo modo.

Elisa.

Es hora de luchar hasta su último aliento. Por ella.

Isabel no sabe cómo lo ha conseguido, pero durante un instante, su repugnancia por Raúl y todo lo que ha perdido por su culpa ganan al miedo. Reúne la fuerza necesaria para susurrarle lo bastante alto para que sea oída:

—¡Me das tanto asco!

El blanco rostro de Raúl pronto cambia a un color rojo intenso, creado por el enfado que le corroe. Le da una bofetada y, por la fuerza del impacto, acaba por romperle el labio inferior. En lugar de llorar, como espera Raúl, Isabel muestra una sonrisa en su rostro, ignorando el leve estallido de dolor al estirar el labio, con unas gotas de sangre que caen por su barbilla.

Durante los movimientos frenéticos por deshacerse, se ha dado cuenta de que la parte de la cuerda que sujeta su mano izquierda se ha soltado ligeramente. Si lo mantiene distraído un poco más, podría ocuparse de deshacerse de las cuerdas. Tiene que ser valiente.

—¿Esto es todo lo que sabes hacer? —se atreve a preguntar, al fin, sin perder la sonrisa, al tiempo que lo mira de forma despectiva, cosa que provoca un enfado mayor en Raúl, ya que nadie, jamás, se ha atrevido a enfadarlo de esta forma—. Vas a tener que hacer algo más para que sienta miedo por ti —continúa diciendo Isabel para provocarlo, y funciona.

Raúl, bullendo de cólera, le propina dos bofetadas más. Mientras se encuentra sumido en este estado, ocupado en golpearla, Isabel, por detrás, padeciendo varias clases de dolor, siente que su mano izquierda está próxima a la liberación.

El rostro de Isabel va de un lado a otro por los impactos de Raúl, el bruto no cesa en su intento de sacar alguna súplica de sus labios, algo que Isabel no le proporciona en ningún momento.

De repente, Raúl ya no la golpea más. «Ya basta de juegos tontos», piensa mientras se separa unos centímetros de ella. «Es hora de provocar horror de verdad».

Se gira un momento para buscar en su chaqueta algo especial que tenía, en un principio, intención de utilizar con Manuel esa misma noche. En ese mismo instante, cuando Raúl le da la espalda a Isabel, ésta aprovecha para quitarse la cuerda de una mano y, con un grito de rabia, abalanzarse con toda su fuerza contra él. Entonces lo empuja, causando que su cuerpo caiga al suelo y se dé un golpe en la frente contra la mesilla de noche.

—¡Zorra! —grita antes de coger el cuerpo de Isabel con sus manos y tirarla al suelo.

Antes de que ni siquiera pueda respirar, Isabel recibe una oleada de patadas llenas de furia. En la espalda, en el estómago, en la cara. Su cuerpo es un saco de boxeo para Raúl, que descarga toda su fuerza en ella.

Isabel recibe grandes punzadas de dolor por todas partes, gritos y lágrimas salen de ella sin control, pero ninguna palabra de súplica cruza sus labios.

Repentinamente, los golpes cesan e Isabel, dolorida, puede respirar, aunque solo durante un efímero instante porque, después, siente que Raúl la levanta con brusquedad para lanzarla contra el espejo que hay al lado de la chimenea. El sonido estridente de miles de cristales rotos esparcidos por el suelo es lo último que oye ella antes de volver a caer al suelo totalmente derrotada.

Isabel respira con agitación, se siente mareada y dolorida. Nota un dolor muy agudo en la parte derecha de su abdomen. Seguro que Raúl le ha roto algunas costillas.

Las fuerzas están abandonando a su cuerpo. Tiene la mejilla apoyada en el suelo y siente unos pequeños estallidos de dolor esparcidos por esa zona; el suelo se tiñe de un intenso y espeso rojo. Ahora mismo se encuentra en la misma posición en que años atrás una parte de ella murió.

Otra vez está pasando.

Otra vez va a perder.

Con lágrimas en los ojos, en su mente aparece el rostro de Elisa, y lo único que puede hacer Isabel es pedirle perdón por no haber sabido vengar su asesinato, por fallarle por segunda vez.

«Lo siento, Elisa... lo siento mucho».

Intenta apretar los puños como señal de desesperación, pero no puede ni siquiera hacer eso. Cierra los ojos con impotencia mientras sus lágrimas corren sin control cayendo y mezclándose con su sangre. A continuación, siente el peso de un pie apretando la parte baja de su espalda.

—¿Sabes qué? —empieza a decir Raúl mientras camina alrededor de Isabel, pisando los cristales rotos y mirándola con diversos sentimientos mezclados de deseo y rabia—. Te voy a acercar a tu querida hermana más de lo que te imaginas —dice al mismo tiempo que empieza a desabrocharse el cinturón.

Isabel oye ese sonido, abre los ojos, asustada, sabe lo que significa. Va a volver a hundirse en la oscuridad del infierno y, esta vez, sin posibilidad de salir de ella.

Entonces, de la nada, las llamas vivas de una posibilidad arden alumbrando un camino hacia la esperanza. Muy cerca de su mano extendida hay un trozo de cristal de tamaño considerable que casi no se ve, camuflado entre el diseño de la alfombra. ¡Si pudiera cogerlo! Si pudiera alzar un poco más la mano y alcanzar esa posibilidad.

Lo intenta. Realmente lo intenta, no obstante, es inútil. Siente el peso del pie de Raúl sobre la parte baja de su espalda, su cuerpo está tan malherido que apenas puede respirar. Cada bocanada de aire es un sacrificio.

Nada ha cambiado, regresa a ser la víctima que una vez fue hace tantos años.

—Tu hermana solo era una puta que tuvo su merecido.

Estas palabras se clavan hondo en su mente y en su alma. No puede creer lo que acaba de oír. No. Esto no puede acabar así. Raúl no puede salirse con la suya. No puede permitir que un ser así siga con vida. En su interior se encuentra gritando de cólera. Todo lo que ha padecido estos años, sus lágrimas, su odio, su temor, todo la ha llevado a este preciso momento, para aniquilar a este monstruo de una vez por todas.

Sus nuevos pensamientos, su cólera recorriendo su sangre y sus recuerdos alimentando su odio, componen una mezcla en su cuerpo que provoca una nueva oleada de fuerza que creía perdida. Aprovecha la oportunidad cuando el pie de Raúl deja de hacer tanta presión para moverse y desequilibrarlo.

Isabel no desperdicia ni un solo segundo, agarra fuerte en su mano el trozo de cristal, ignorando momentáneamente que las esquinas se hunden en su piel. Y entonces, todo parece ralentizarse.

Se acerca a Raúl alzando con el brazo en alto su trozo de cristal, y luego lo hunde bien adentro en su estómago. Raúl escupe un fuerte quejido de dolor antes de caer al suelo prácticamente sin conciencia.

Atontado, pero sabiendo que su cuerpo se mueve guiado por otra persona, el hombre se despierta justamente cuando siente el abrazo de sus cuerdas sujetando sus muñecas.

Pero Isabel no hace solo esto. Para asegurarse de que no va a mover las manos, coge por segunda vez ese trozo de cristal, ahora bañado en sangre, para atravesar la dura carne de las palmas de sus dos manos. Al principio cuesta que perfore la carne, pero después se desliza con facilidad. El grito de tormento que se escapa de Raúl confirma mucho que le costaría mover las manos de poder desatarlas.

—¡Maldita puta! —suelta Raúl al mismo tiempo que escupe sangre.

La sangre que escapa de la herida de su estómago rápidamente se expande y tiñe la blusa blanca de otro color mucho más vivo.

Isabel respira con agitación mientras se toma su tiempo para mirar al desgraciado que tiene delante, dejando atrás por un momento el suplicio de estar de pie soportando el tormento de sus heridas.

—Ahora me toca jugar a mí —dice con calma, antes de que su inflado rostro por los golpes obsequie a Raúl con una sonrisa.

—¿Crees que me das miedo, estúpida cría? —Con toda esta situación todavía es capaz de reírse en su cara—. Voy a soltarme y entonces te haré pasar un infierno. ¿Me oyes, maldita mocosa?

Isabel le mira, y ese silencio incita aún más la ira de Raúl.

—Te voy a enseñar lo que una mocosa es capaz de hacer —dice pasando su lengua por la herida de su labio antes de empezar a consumar la venganza que ha macerado durante estos años de desesperación.

Coge algunos trozos grandes de cristal del suelo. A continuación, procede a clavárselos con fuerza en distintas partes de su cuerpo, en los brazos y en las piernas, los hunde hasta que el cristal atraviesa el otro lado.

Los gritos de dolor de Raúl son una música exquisita para sus oídos.

Nunca podrá apartar de su mente este momento, cuando el rostro de Raúl se retuerce por la tortura.

El dolor es tan palpitante y tan intenso que deja atrás su superioridad y muestra lo que realmente es: un hombre patético que no puede hacer otra cosa que suplicar. La alarma de su mente ha saltado haciendo eco en solo una cosa: la supervivencia. Diría cualquier cosa para procurarla. Intenta mover las manos, pero el grueso trozo de cristal lo desgarra sin piedad.

—¡Por favor...! ¡No me hagas esto...! ¡No aguanto más! —exclama con una voz tan débil como su energía.

Su orgullo en estos momentos no es tan fuerte como las ganas de detener ese palpitante dolor. Como respuesta, Isabel cierra su mano derecha en un puño, haciendo sobresalir los nudillos, para incrustarlos en el tabique nasal de Raúl, al mismo tiempo que le mira con una expresión de asco.

Constata que le ha roto la nariz al escuchar su chillido y la abundante sangre que cae por ella. La parte exterior de su cuerpo se está llenando con su propia sangre. Está muriendo poco a poco.

—Perdóname —consigue balbucear en un débil susurro con sus últimas fuerzas.

Isabel se da cuenta de que está próximo al desmayo, así que toma una decisión. Coge con fuerza de su pelo para levantar su patético rostro cada vez más pálido.

—Esto es por Elisa —dice antes de soltarlo con rabia.

Seguidamente va directa a la chimenea, donde las llamas siguen con sus movimientos rítmicos y acompasados. Ve a su lado unos largos palos de hierro ideados para mover la madera y que el fuego no se apague. Entonces coge uno sintiendo su frío contacto y lo clava con fuerza en uno de los tres troncos que hay para, después, levantarlo y dejarlo caer en el regazo de Raúl.

Los últimos actos de Raúl consisten en retorcerse de dolor en medio de movimientos frenéticos para sacarse el tronco ardiente de encima.

Algo inútil porque Isabel se encarga de que eso no sea posible.

Raúl se retuerce en un dolor insoportable, entre gritos desesperados mientras su piel se estira, se quema y se destroza en un sinfín de dolor. Después de todo ese calvario, una terrorífica sensación, la oscuridad, le envuelve para terminar enviándolo directamente al infierno. No sin antes haber tenido la merecida muerte llena de dolor que Isabel se empeñó en llevar a cabo con éxito.

Isabel se queda mirando esa extraña expresión de dolor y miedo mezclados que le ha quedado a Raúl antes de que las llamas terminen por consumirle del todo.

Epílogo

Isabel sale de la casa malherida y con una gran paz en su interior. Los primeros rayos del alba iluminan el puente que fue testigo del triste final de una parte de ella.

Decide ir allí y sentarse en las frías piedras, no sin dificultad a causa del agudo dolor de su lado derecho, pero quiere estar allí aunque sea por última vez.

Ha terminado.

Después de sufrir y padecer tantos años, finalmente todo ha acabado. Sus manos están manchadas de sangre y odio, pero no siente culpabilidad ni remordimientos que puedan atormentarla.

Su mirada se posa en el agua tan clara que tiene debajo de ella, esa agua de montaña tan pura que una vez la salvó y donde su mismo reflejo le devuelve la mirada. Una mirada limpia, sin nada que esconder, si nada que temer. Al mismo tiempo que un ligero viento la abraza.

Ese simple soplo de aire se lleva consigo toda la oscuridad que cobijaba en su interior, expulsando el odio y la rabia que la tenían dominada.

Ya no lo necesita. Una tranquila sensación la embarga. Siente que Elisa, por fin, puede descansar en paz.

Ahora puede volver a empezar, tener una vida normal. La imagen de Alejandro cruza su mente. Espera que en esa nueva vida pueda incluirle a él.

Isabel da un último suspiro de alivio y procede a levantarse, dejando escapar un gemido de dolor. No puede conocer los acontecimientos que vendrán a continuación, pero de una cosa está bien segura: sus pesadillas nunca más volverán a atacarla.

Y no volvieron.